초등 연산의 기준

칸토의 연산

세 자리 수의 덧셈과 뺄셈

"초등 입학 후 우리 아이가
해야 할 수학은?"

우리 아이가 초등학교에 처음 입학할 때의 모습이 떠오릅니다. 머리도 혼자 감지 못하는 아이가 벌써 초등학생이 되어 많은 아이들과 교실에서 생활한다니 대견스러우면서도 한편으론 '아이가 40분 수업 시간 동안 집중하며 앉아 있을 수 있을까? 소변이라도 보면 어떻게 하지?' 등등 고민이 한가득이었지요.

기대 반 걱정 반으로 하루하루를 보내며 아이는 어느덧 별탈 없이 학교에 잘 적응하는 모습입니다. 걱정이 사라질 즈음 아이는 학교에서 생전 처음 단원 평가라는 시험을 보게 됩니다. 7살 때 100까지 막힘없이 세던 우리 아이라 당연히 100점을 맞았을 거라 생각했지만 아쉽게 한두 개 틀려 옵니다. '실수라고, 다음에 잘하겠지.'라고 넘겨 보지만 100점 맞기는 쉽지 않습니다. 혹시나 해서 "다른 친구들은 어떻게 봤니?"라고 물으면 "누구누구는 100점 맞았어!"라고 자기랑 상관없다는 듯이 무심코 하는 말에 마음이 무너집니다.

아차 싶어 이제부터 친구 엄마들에게 학원, 학습지 등 공부 정보를 수집하며 어떤 선택이 우리 아이에게 최선의 선택일지 갈등과 고민이 시작됩니다. 공부란 것을 제대로 해 보지 못했던 우리 아이는 자기랑 맞지 않는 공부를 부모의 계획에 따르며 어느 순간부터 부모와의 감정싸움이 시작됩니다. 부모님들이 초등 저학년에 많이 겪게 되는 고민거리입니다.

중학교에서 수학을 포기하는 아이들의 상당수가 초등 연산의 기초가 없어서라고 합니다. 자연수, 분수의 사칙연산을 어려워하는 아이들이 정수, 유리수의 사칙연산을 어려워하는 것은 당연합니다.

고등학교에서 수학을 포기하는 아이들의 상당수는 공부하는 습관이 몸에 배어 있지 않아서라고 합니다. 공부 계획을 세우고 공부하는 습관은 학교에서 따로 가르쳐주지 않습니다. 할 줄 아는 아이들만 공부 계획표를 꾸준히 작성하고 실천하지 나머지는 포기합니다. 단시간에 공부습관을 바로잡는 시간이 너무 부족합니다.

그렇다면 우리 아이가 초등학생 때 해야 할 수학은 무엇일까요?

공부 습관과 수학에 대한 자신감을 기르는 것입니다. 그런데 이 둘은 모두 연산 학습으로 잡을 수 있습니다.

연산은 매일 꾸준히 지치지 않고 하는 것이 핵심입니다. 꾸준한 연산 학습은 연산 실력을 향상시킬 수 있을 뿐만 아니라 앞으로의 공부 습관과 태도를 형성할 수 있는 매우 중요한 학습 방법입니다. 처음에는 개념 위주로 연산의 정확도를 목표로 학습하고 꾸준히 연습하면 속도는 저절로 올라가니 처음부터 속도에 욕심내지 마세요. 그리고 연산 학습과 더불어 공부 시간을 10분, 20분, ……, 60분으로 늘려나가며 공부 체력을 길러 주세요.

연산을 잘하면 무엇이 좋을까요?

수업 시간에 대답도 잘하고 선생님께 칭찬을 받아 자신감이 올라갑니다. 또 아이는 잘하려는 마음이 생겨서 노력하게 되고 성취하게 되며 칭찬을 받게 되는 과정을 되풀이하여 결국 자신감을 넘어 자존감이 올라가게 됩니다.

또한 초등 저학년 수학 내용은 반 이상이 연산이라 연산을 잘하면 저학년 수학을 잘할 수 있습니다. 그리고 도형, 측정과 같은 다른 영역에서 넓이, 부피, 시간, 각도 등을 구할 때에도 연산이 중요하게 사용되므로 결국 수학을 잘한다는 것으로 이어집니다.

초등학교는 대학입시를 준비하는 단계가 아닙니다. 초반부터 무리하게 시작하는 것보다 아이에 맞게 공부 시간과 난이도를 조절해 보세요. 초등 공부 습관과 자신감은 중·고등 시기에 학업 성취를 높여 주는 발판이 될 것입니다. 나아가 하루하루 쌓여 끈기가 되고 인생을 살아가는 지혜가 될 것입니다.

"초등 6년 연산
학년별로 이것만은 꼭 알고 가요."

학년별로 성취해야 할 연산 내용을 미리 살펴보고, 부족한 부분을 정리해 보세요.

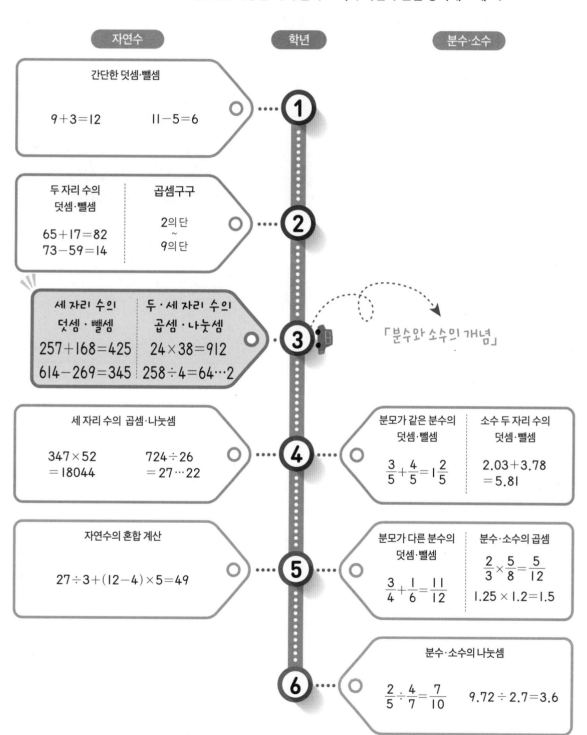

| 자연수 | 학년 | 분수·소수 |

간단한 덧셈·뺄셈

$9+3=12$ $11-5=6$

①

두 자리 수의 덧셈·뺄셈

$65+17=82$
$73-59=14$

곱셈구구

2의 단
~
9의 단

②

세 자리 수의 덧셈·뺄셈
$257+168=425$
$614-269=345$

두·세 자리 수의 곱셈·나눗셈
$24\times38=912$
$258\div4=64\cdots2$

③

「분수와 소수의 개념」

세 자리 수의 곱셈·나눗셈
347×52
$=18044$
$724\div26$
$=27\cdots22$

④

분모가 같은 분수의 덧셈·뺄셈
$\dfrac{3}{5}+\dfrac{4}{5}=1\dfrac{2}{5}$

소수 두 자리 수의 덧셈·뺄셈
$2.03+3.78$
$=5.81$

자연수의 혼합 계산
$27\div3+(12-4)\times5=49$

⑤

분모가 다른 분수의 덧셈·뺄셈
$\dfrac{3}{4}+\dfrac{1}{6}=\dfrac{11}{12}$

분수·소수의 곱셈
$\dfrac{2}{3}\times\dfrac{5}{8}=\dfrac{5}{12}$
$1.25\times1.2=1.5$

⑥

분수·소수의 나눗셈
$\dfrac{2}{5}\div\dfrac{4}{7}=\dfrac{7}{10}$ $9.72\div2.7=3.6$

단계별 구성

유아/3단계

단계	권	주제
5세	1	1부터 5까지의 수
	2	6부터 9까지의 수
	3	1부터 9까지의 수
	4	덧셈과 뺄셈의 기초
6세	1	0부터 10까지의 수
	2	10까지의 수에서 더하기·빼기 1
	3	20까지의 수에서 더하기·빼기 1, 10
	4	20까지의 수에서 더하기·빼기 1, 2, 10
7세	1	합이 9까지의 덧셈
	2	9까지의 뺄셈과 덧셈·뺄셈
	3	50까지의 수에서 더하기·빼기 1, 2, 10
	4	받아올림·내림 없는 (두 자리 수±한 자리 수)

초등/6단계

단계	권	주제
초1	1	덧셈구구
	2	뺄셈구구
	3	편리한 계산 전략
	4	100까지의 수, 받아올림·내림 없는 (두 자리 수±두 자리 수)
초2	1	받아올림·내림 있는 (두 자리 수±한 자리 수)
	2	받아올림·내림 있는 (두 자리 수±두 자리 수)
	3	곱셈의 기초와 곱셈구구(1)
	4	곱셈구구(2)
초3	1	세 자리 수의 덧셈과 뺄셈
	2	나눗셈구구, (두 자리 수×한 자리 수)
	3	곱셈과 나눗셈
	4	분수와 소수의 기초
초4	1	큰 수
	2	곱셈과 나눗셈
	3	분모가 같은 분수의 덧셈과 뺄셈
	4	소수의 덧셈과 뺄셈
초5	1	자연수의 혼합 계산
	2	약수와 배수, 약분과 통분
	3	분모가 다른 분수의 덧셈과 뺄셈
	4	분수의 곱셈, 소수의 곱셈
초6	1	분수의 나눗셈
	2	소수의 나눗셈
	3	비와 비율
	4	비례식과 비례배분

칸토의 연산 시리즈

- 연산의 원리부터 재미있는 퍼즐형 문제까지 다루는 기본 난이도의 연산 교재
- 나선형 반복 학습과 확장 커리큘럼
- [칸토의 연산] ➡ [응용 연산]으로 이어지는 기본·심화 연산 학습 설계
- 단계별 4권, 9단계 총 36권 구성
- 한 단계 4개월 완성
- 학년별 교과서 진도와 맞춤 병행

이 책의
구성과 특징

- 하루 2쪽, 매주 5일씩 4주 동안 완성하는 연산 프로그램이에요.
- 연령별 아이의 학습 눈높이와 학습 체력에 맞게 쉬운 난이도와 하루 10분 정도의 학습 분량으로 구성하였어요.

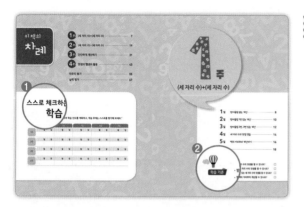

1 학습 안내 · 무엇을 공부할까요?

❶ 스스로 학습 진도를 계획하고 실천해 보세요.

❷ 이번 주에 꼭 알아야 할 학습 기준을 체크해요.
공부 전에 간단히 살펴보고, 한 주 공부가 끝나면 공부한 내용을 잘 알고 있는지 반드시 확인해 보세요.

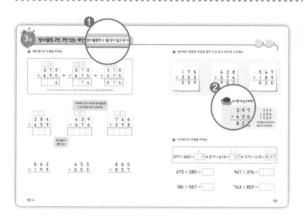

2 일일 학습 · 매주 5일씩 4주 동안 공부해요.

❶ 일일 학습 목표를 효율적으로 달성하기 위한 학습 목표 및 노하우를 담았어요. 무엇을 공부하는지 미리 알고 가는 공부는 목표 달성률이 훨씬 높답니다.

❷ 연산의 개념, 원리뿐만 아니라 궁금증을 해결할 수 있는 학습 노하우를 꼭 확인하세요.

3 확인 학습

이번 주 배운 내용을 잘 알고 있나요?

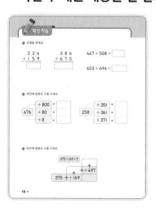

4 마무리 평가 + 실력 평가

4주 동안 배운 내용을 잘 알고 있나요?

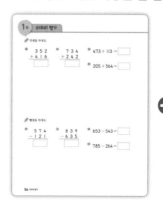

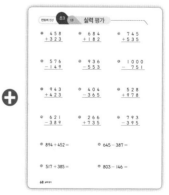

이 책의 차례

스스로 체크하는
학습 진도표

"일일 학습을 시작하기 전에 날짜를 기록하여 학습 진도를 계획하고, 학습 후에는 스스로를 평가해 보세요."

	1일		2일		3일		4일		5일	
1주	월	일	월	일	월	일	월	일	월	일
2주	월	일	월	일	월	일	월	일	월	일
3주	월	일	월	일	월	일	월	일	월	일
4주	월	일	월	일	월	일	월	일	월	일

1주

(세 자리 수)+(세 자리 수)

학습 기준

· 받아올림이 없는 세 자리 수의 덧셈을 할 수 있나요? ☐

· 받아올림이 1번 있는 세 자리 수의 덧셈을 할 수 있나요? ☐

· 받아올림이 2번 또는 3번 있는 세 자리 수의 덧셈을 할 수 있나요? ☐

· 세 자리 수의 덧셈을 백의 자리부터 계산할 수 있나요? ☐

받아올림 없는 계산 동전을 이용하면 세 자리 수의 덧셈을 이해하기 쉬워.

✚ 동전을 보고 덧셈을 하세요.

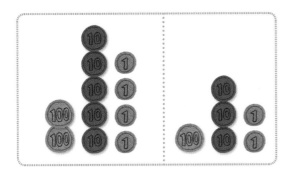 

$254 + 132 = \boxed{386}$

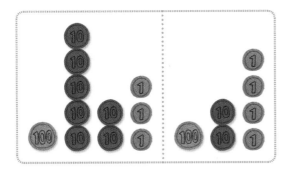

$173 + 124 = \boxed{}$

$421 + 343 = \boxed{}$

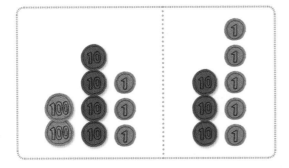

$243 + 35 = \boxed{}$

$304 + 251 = \boxed{}$

가로셈으로 덧셈을 하세요.

451+123=☐☐4 ➡ 451+123=☐74 ➡ 451+123=574

341 + 321 = ☐☐☐

147 + 240 = ☐☐☐

134 + 705 = ☐☐☐

516 + 452 = ☐☐☐

가로셈과 세로셈 중에
어떤 게 더 쉬워?

세로셈으로 덧셈을 하세요.

```
  4 3 1
+ 2 1 6
-------
  6 4 7
```
③ ② ①

```
  3 3 4
+ 5 4 2
-------
```

```
  2 0 3
+ 3 9 5
-------
```

```
  8 2 6
+ 1 5 3
-------
```

2일 받아올림 1번 있는 계산 큰 수의 덧셈도 자리만 맞추면 쉬워.

➕ 세로셈으로 덧셈을 하세요.

	1			
	5	4	6	
+	2	3	9	
			5	

➡

	1			
	5	4	6	
+	2	3	9	
		8	5	

➡

	1			
	5	4	6	
+	2	3	9	
	7	8	5	

각 자리 수끼리 더하여 10이거나 10보다 크면 바로 윗자리로 10을 받아올려 계산해요.

받아올림한 수를 작게 써서
계산하면 실수를 줄일 수 있어.

```
□
  2 2 4
+ 1 5 9
```

```
□
  4 3 6
+ 3 7 1
```

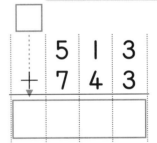

천의 자리로 받아올림한
수는 그대로 내려 써.

```
□
  5 1 3
+ 7 4 3
```

```
  3 4 8
+ 2 3 2
```

```
  1 9 3
+ 4 6 2
```

```
  6 2 4
+ 8 4 5
```

어느 자리로
받아올림이 있어?

천 백 십 일

➕ 가로셈으로 덧셈을 하세요.

349+134= [| 3] ➡ 349+134= [| 8 3] ➡ 349+134= [4 8 3]

534 + 326 = [|]   483 + 153 = [|]

208 + 419 = [ ]   843 + 652 = [ ]

세 자리 수를 자릿값이 있는 각 자리 수로 나누어 더해 볼까?

➕ 덧셈을 계산하는 과정입니다. 빈칸에 알맞은 수를 쓰세요.

236+148	2 3 6 = 200 + 30 + 6
	+ 1 4 8 = 100 + 40 + 8
	[ ] = [ ] + [ ] + 14

374+251	3 7 4 = 300 + 70 + 4
	+ 2 5 1 = 200 + 50 + 1
	[ ] = [ ] + [ ] + [ ]

받아올림 2번, 3번 있는 계산 받아올림한 수 1을 잊지 않고 꼭 더해야 해.

➕ 세로셈으로 덧셈을 하세요.

```
  [ ] [1]          [1] [1]          [1] [1]
   3 7 8            3 7 8            3 7 8
 + 4 9 6    ➡    + 4 9 6    ➡    + 4 9 6
 ─────────        ─────────        ─────────
       4              7 4          8 7 4
```

각 자리 수끼리 더하여 10이거나 10보다 크면 바로 윗자리로 10을 받아올려 계산해요.

이제부터 천의 자리로 받아올림한
수 1은 답에 바로 쓰도록 해.

```
  [ ] [ ]          [ ] [ ]          [ ] [ ]
   2 8 4            4 3 9            7 4 6
 + 4 5 9          + 6 7 6          + 5 9 8
 ─────────        ─────────        ─────────

```

받아올림이
3번 있어.

```
   6 4 2            4 5 5            8 6 5
 + 1 9 9          + 5 5 5          + 8 5 7
 ─────────        ─────────        ─────────
```

➕ 계산에서 잘못된 부분을 찾아 ✕표 하고 바르게 고치세요.

```
    1 7 6
  + 3 5 3
  ─────────
    5 3 9
```

```
    4 2 8
  + 5 7 4
  ─────────
    9 0 2
```

```
    5 4 7
  + 1 8 9
  ─────────
    6 2 6
```

🤖 이렇게 실수하면 안 돼!

```
    3 9 7
  + 4 3 6
  ─────────
    8 2 3
```
받아올림한 수를
빠뜨리고 계산했어요.

```
    9 4 5
  + 2 8 4
  ─────────
  1 2 3 9
```
받아올림이 없는데 받아
올림해서 계산했어요.

➕ 가로셈으로 덧셈을 하세요.

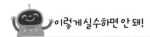

$379 + 458 = \boxed{\ 7} \Rightarrow 379 + 458 = \boxed{3\ 7} \Rightarrow 379 + 458 = \boxed{8\ 3\ 7}$

$675 + 285 = \boxed{}$ $947 + 376 = \boxed{}$

$186 + 567 = \boxed{}$ $743 + 859 = \boxed{}$

13

➕ 가로셈으로 덧셈을 해 보고 세로셈으로 확인하세요.

$536 + 427 = \boxed{}$

$$
\begin{array}{ccc}
 & 5 & 3 & 6 \\
+ & 4 & 2 & 7 \\
\hline
\end{array}
$$

$834 + 709 = \boxed{}$

$458 + 366 = \boxed{}$

$682 + 518 = \boxed{}$

➕ 빈칸에 알맞은 수를 쓰세요.

375	$+900$ ➡	1275
	$+90$ ➡	
	$+9$ ➡	

256	$+172$ ➡	
	$+182$ ➡	
	$+192$ ➡	

덧셈에 알맞은 길을 따라 선을 그리세요.

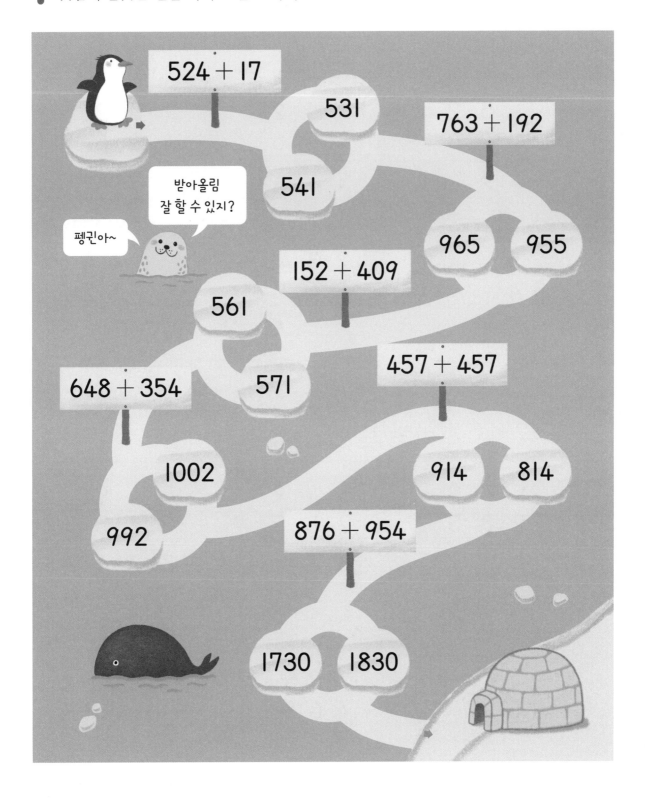

524＋17

531

541

763＋192

965 955

받아올림 잘 할 수 있지?

펭귄아~

152＋409

561

571

457＋457

648＋354

1002

914 814

992

876＋954

1730 1830

♣ 세로셈으로 덧셈을 하세요.

십, 일의 자리에서 받아올림이 없는 경우

$$
\begin{array}{r} 1\ 5\ 2 \\ +\ 4\ 2\ 6 \\ \hline 5 \end{array}
\quad\Rightarrow\quad
\begin{array}{r} 1\ 5\ 2 \\ +\ 4\ 2\ 6 \\ \hline 5\ 7 \end{array}
\quad\Rightarrow\quad
\begin{array}{r} 1\ 5\ 2 \\ +\ 4\ 2\ 6 \\ \hline 5\ 7\ 8 \end{array}
$$

$$
\begin{array}{r} 6\ 2\ 5 \\ +\ 2\ 0\ 4 \\ \hline \end{array}
\qquad
\begin{array}{r} 2\ 3\ 4 \\ +\ 3\ 4\ 1 \\ \hline \end{array}
\qquad
\begin{array}{r} 4\ 4\ 6 \\ +\ 5\ 2\ 2 \\ \hline \end{array}
$$

십 또는 일의 자리에서 받아올림이 있는 경우

$$
\begin{array}{r} 5\ 4\ 9 \\ +\ 2\ 8\ 5 \\ \hline 8 \end{array}
\quad\Rightarrow\quad
\begin{array}{r} 5\ 4\ 9 \\ +\ 2\ 8\ 5 \\ \hline 8\ 3 \end{array}
\quad\Rightarrow\quad
\begin{array}{r} 5\ 4\ 9 \\ +\ 2\ 8\ 5 \\ \hline 8\ 3\ 4 \end{array}
$$

   5+2+1   4+8+1의 일의 자리 수   9+5의 일의 자리 수

$$
\begin{array}{r} 2\ 5\ 7 \\ +\ 1\ 6\ 5 \\ \hline \end{array}
\qquad
\begin{array}{r} 3\ 9\ 5 \\ +\ 4\ 6\ 8 \\ \hline \end{array}
\qquad
\begin{array}{r} 6\ 5\ 6 \\ +\ 9\ 3\ 4 \\ \hline \end{array}
$$

➕ 덧셈을 하세요.

$$
\begin{array}{r} 143 \\ +524 \\ \hline \end{array}
$$

$$
\begin{array}{r} 819 \\ +535 \\ \hline \end{array}
$$

$$
\begin{array}{r} 452 \\ +278 \\ \hline \end{array}
$$

$$
\begin{array}{r} 377 \\ +964 \\ \hline \end{array}
$$

$$
\begin{array}{r} 512 \\ +283 \\ \hline \end{array}
$$

$$
\begin{array}{r} 259 \\ +368 \\ \hline \end{array}
$$

$$
\begin{array}{r} 607 \\ +395 \\ \hline \end{array}
$$

$$
\begin{array}{r} 478 \\ +434 \\ \hline \end{array}
$$

$$
\begin{array}{r} 825 \\ +849 \\ \hline \end{array}
$$

1분 30초 안에 풀 수 있어?

시간 : _____ 초   맞은 개수 : _____ 개

확인 학습

✚ 덧셈을 하세요.

$$\begin{array}{r} 224 \\ +\ 159 \\ \hline \square \end{array}$$

$$\begin{array}{r} 386 \\ +\ 675 \\ \hline \square \end{array}$$

$447+508=\square$

$653+694=\square$

✚ 빈칸에 알맞은 수를 쓰세요.

476	+800	➡
	+80	➡
	+8	➡

258	+351	➡
	+361	➡
	+371	➡

✚ 빈칸에 알맞은 수를 쓰세요.

375+169=?

		↑
	↑	→ +497
375 →	+169	

2주

(세 자리 수)-(세 자리 수)

학습 기준

- 받아내림이 없는 세 자리 수의 뺄셈을 할 수 있나요?   ☐
- 받아내림이 1번 있는 세 자리 수의 뺄셈을 할 수 있나요?   ☐
- 받아내림이 2번 있는 세 자리 수의 뺄셈을 할 수 있나요?   ☐
- 세 자리 수의 뺄셈을 백의 자리부터 계산할 수 있나요?   ☐

받아내림 없는 계산 세 자리 수의 뺄셈도 가로셈보다 세로셈이 훨씬 쉬워.

➕ 동전을 /으로 지워 뺄셈을 하세요.

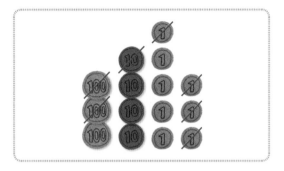

지우고 남은 동전의 금액을 구해 봐.

$$348 - 214 = \boxed{134}$$

$$753 - 432 = \boxed{}$$

$$495 - 253 = \boxed{}$$

$$574 - 51 = \boxed{}$$

$$937 - 306 = \boxed{}$$

➕ 가로셈으로 뺄셈을 하세요.

627－325 = $\boxed{\ 2}$ ➡ 627－325 = $\boxed{\ 0\ 2}$ ➡ 627－325 = $\boxed{3\ 0\ 2}$

753 － 632 = $\boxed{}$

498 － 413 = $\boxed{}$

528 － 204 = $\boxed{}$

864 － 331 = $\boxed{}$

가로셈과 세로셈 중에
어떤 게 더 쉬워?

➕ 세로셈으로 뺄셈을 하세요.

$$\begin{array}{r} 5\ 8\ 6 \\ -\ 4\ 2\ 1 \\ \hline \boxed{1\ 6\ 5} \end{array}$$

③ ② ①

$$\begin{array}{r} 3\ 4\ 7 \\ -\ 1\ 3\ 4 \\ \hline \end{array}$$

$$\begin{array}{r} 8\ 9\ 2 \\ -\ 3\ 5\ 2 \\ \hline \end{array}$$

$$\begin{array}{r} 6\ 5\ 8 \\ -\ 2\ 1\ 6 \\ \hline \end{array}$$

받아내림 1번 있는 계산   뺄 수 없을 때는 바로 윗자리에서 10을 빌려와.

➕ 세로셈으로 뺄셈을 하세요.

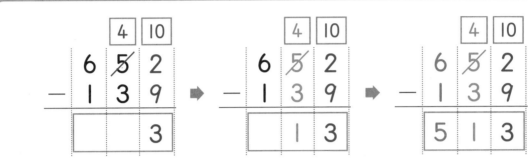

각 자리 수끼리 뺄 수 없으면 바로 윗자리에서 10을 받아내려 계산해요.

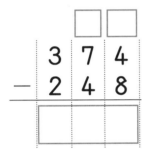

```
  3 7 4
-  2 4 8
```

```
  8 3 7
-  4 7 3
```

```
  5 4 4
-  3 0 9
```

뺄 수 없다고 거꾸로 4에서 1을 빼면 안 돼!
이렇게 실수하는 친구들이 많아.

```
  4 9 1
-  1 4 4
```

```
  9 6 5
-  2 8 2
```

```
  7 2 3
-  6 1 7
```

윗자리	아랫자리

받아내림

➕ 가로셈으로 뺄셈을 하세요.

$$\overset{710}{4\cancel{8}3} - 159 = \boxed{\ \vdots\ \vdots 4} \Rightarrow \overset{710}{4\cancel{8}3} - 159 = \boxed{\ \vdots 2 \vdots 4} \Rightarrow \overset{710}{4\cancel{8}3} - 159 = \boxed{3 \vdots 2 \vdots 4}$$

347 − 218 = ☐

726 − 192 = ☐

635 − 343 = ☐

983 − 427 = ☐

세 자리 수를 자릿값이 있는
각 자리 수로 나누어 빼 볼까?

➕ 뺄셈을 계산하는 과정입니다. 빈칸에 알맞은 수를 쓰세요.

582 − 419

70   12

$$
\begin{array}{rlcrcrcr}
582 & = & 500 & + & 70 & + & 12 \\
-\ 419 & = & -\ 400 & - & 10 & - & 9 \\
\hline
\boxed{} & = & \boxed{} & + & \boxed{} & + & 3
\end{array}
$$

735 − 184

600   130

$$
\begin{array}{rlcrcrcr}
735 & = & 600 & + & 130 & + & 5 \\
-\ 184 & = & -\ 100 & - & 80 & - & 4 \\
\hline
\boxed{} & = & \boxed{} & + & \boxed{} & + & \boxed{}
\end{array}
$$

받아내림 2번 있는 계산 십의 자리에서 받아내림한 것처럼 백의 자리에서도 받아내림 해.

➕ 세로셈으로 뺄셈을 하세요.

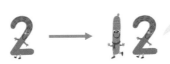

$$2 \rightarrow \cancel{1}2$$

> 백의 자리에서 한 번 더 받아내림이 있으니까 십의 자리에 1만 써주면 돼.

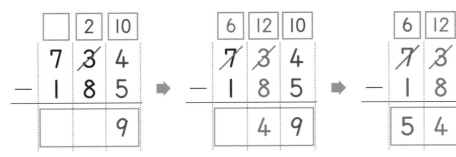

각 자리 수끼리 빼서 뺄 수 없으면 바로 윗자리에서 10을 받아내려 계산해요.

6	2	1
− 3	8	5

4	1	3
− 2	4	9

8	5	4
− 2	5	6

```
  5 2 7
− 4 5 8
───────
```

```
  9 3 2
− 3 7 6
───────
```

```
  7 5 0
− 5 6 3
───────
```

➕ 알맞은 계산 결과를 찾아 선으로 이으세요.

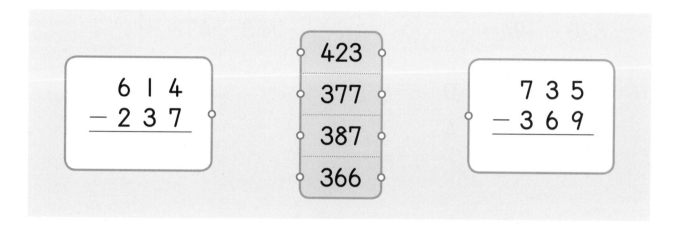

```
  6 1 4
−  2 3 7
```

423
377
387
366

```
  7 3 5
−  3 6 9
```

받아내림한 수 10이 합쳐지는 과정이야.

```
  5 10              2  5 10            2 15 10
3 6 2            3 6 2              3 6 2
−1 8 9    ➡    −1 8 9      ➡      −1 8 9
      3               7 3                1 7 3
```

➕ 가로셈으로 뺄셈을 하세요.

```
  410                    31410                    31410
453 − 197 = [    6]  ➡  453 − 197 = [  5 6]  ➡  453 − 197 = [2 5 6]
```

630 − 184 = [   ]   526 − 159 = [   ]

942 − 157 = [   ]   814 − 596 = [   ]

가로셈으로 뺄셈을 해 보고 세로셈으로 확인하세요.

$820 - 194 = \boxed{}$

$$
\begin{array}{ccc}
 & 8 & 2 & 0 \\
- & 1 & 9 & 4 \\
\hline
\end{array}
$$

$753 - 478 = \boxed{}$

$524 - 326 = \boxed{}$

$936 - 287 = \boxed{}$

가르기 하여 빈칸에 알맞은 수를 쓰세요.

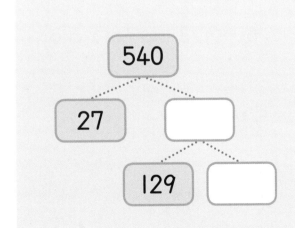

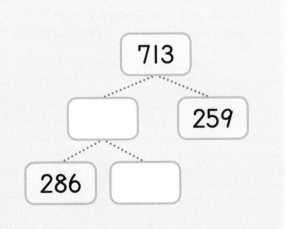

빈칸에 알맞은 수를 쓰세요.

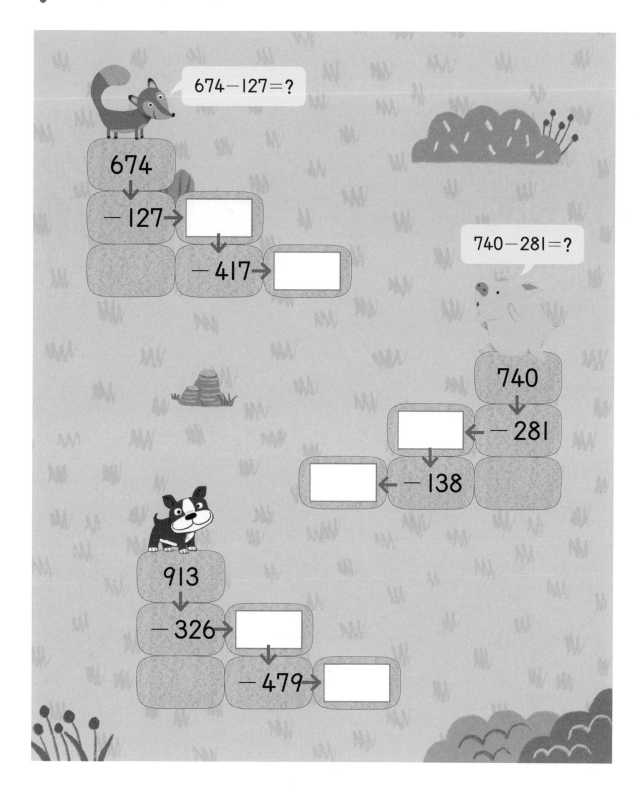

674−127=?

674
− 127 →
− 417 →

740−281=?

740
− 281 →
− 138 →

913
− 326 →
− 479 →

➕ 백의 자리부터 뺄셈을 하세요.

십, 일의 자리로 받아내림이 없는 경우

```
    7 4 5        7 4 5        7 4 5
  - 4 3 1   ➡  - 4 3 1   ➡  - 4 3 1
  ┌─────┐      ┌─────┐      ┌─────┐
  │ 3   │      │ 3 1 │      │ 3 1 4│
  └─────┘      └─────┘      └─────┘
```

```
    4 5 8            8 6 4            5 2 9
  - 3 2 4          - 2 4 3          - 1 2 6
  ─────────        ─────────        ─────────
```

십 또는 일의 자리로 받아내림이 있는 경우

```
    6 5 2        6 5 2        6 5 2
  - 3 7 9   ➡  - 3 7 9   ➡  - 3 7 9
  ┌─────┐      ┌─────┐      ┌─────┐
  │ 2   │      │ 2 7 │      │ 2 7 3│
  └─────┘      └─────┘      └─────┘
     ↑            ↑             ↑
   6-3-1        15-1-7        12-9
```

```
    4 1 8            7 3 5            8 4 6
  - 2 5 7          - 5 1 6          - 4 5 9
  ─────────        ─────────        ─────────
```

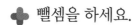

빼셈을 하세요.

```
   3 6 5          8 4 7          4 3 4
 - 1 2 8        - 4 9 2        - 2 4 9
```

```
   9 2 1          4 8 9          8 1 2
 - 4 6 7        - 1 2 3        - 6 3 6
```

```
   7 6 8          9 3 4          5 2 0
 - 3 4 9        - 8 5 6        - 3 0 7
```

얼마나 걸리는지
시간을 재어 봐.

시간 : _____ 초   맞은 개수 : _____ 개

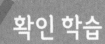
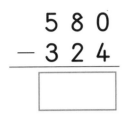 뺄셈을 하세요.

$$\begin{array}{r} 5\ 8\ 0 \\ -\ 3\ 2\ 4 \\ \hline \end{array}$$

$$\begin{array}{r} 7\ 2\ 4 \\ -\ 1\ 2\ 9 \\ \hline \end{array}$$

$893 - 547 = \boxed{}$

$746 - 298 = \boxed{}$

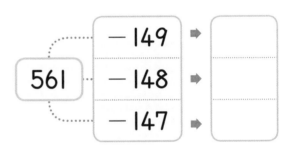 빈칸에 알맞은 수를 쓰세요.

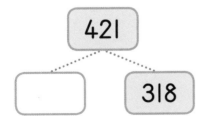 가르기 하여 빈칸에 알맞은 수를 쓰세요.

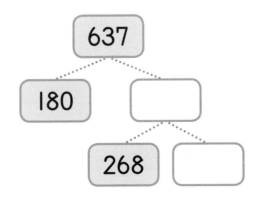

3주

간단하게 계산하기

학습 기준

· 0이 있는 수에서 뺄셈을 할 수 있나요? ☐

· 세 자리 수의 덧셈에서 뒷수를 몇백으로 만들어 더할 수 있나요? ☐

· 세 자리 수의 덧셈에서 앞수 또는 뒷수를 몇백으로 만들어 더할 수 있나요? ☐

· 세 자리 수의 뺄셈에서 뒷수를 몇백으로 만들어 뺄 수 있나요? ☐

· 세 자리 수의 뺄셈에서 앞수 또는 뒷수를 몇백으로 만들어 뺄 수 있나요? ☐

1일 0에서 빼기 받아내림이 안될 때는 한 자리 더 위에서 받아내림해.

➕ 십의 자리에 0이 있는 수에서 뺄셈을 하세요.

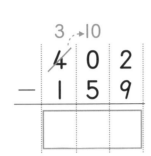

```
    3 →10              9
                    3 →10  10
    4  0  2         4  0  2
  − 1  5  9       − 1  5  9
  ┌─────────┐     ┌─────────┐
  │         │     │  2  4  3│
  └─────────┘     └─────────┘
```

십의 자리에서 받아내림할 수 없으므로 백의   받아내림한 십의 자리에서 일의 자리로 한 번 더
자리에서 십의 자리로 먼저 받아내림해요.   받아내림하여 계산해요.

```
       9
   6  10  10
   7  0  1            6  0  3            9  0  2
 − 3  8  8          − 1  4  9          − 2  1  5
 ┌─────────┐        ┌─────────┐        ┌─────────┐
 │         │        │         │        │         │
 └─────────┘        └─────────┘        └─────────┘
```

```
   3  0  5            8  0  6            7  0  0
 − 1  6  9          − 5  9  7          − 2  2  6
 ┌─────────┐        ┌─────────┐        ┌─────────┐
 │         │        │         │        │         │
 └─────────┘        └─────────┘        └─────────┘
```

➕ 1000에서 뺄셈을 하세요.

```
  1 0 0 0
-       6
┌─────────┐
│         │
└─────────┘
```
➡
```
  1 0 0 0
-       2
┌─────────┐
│         │
└─────────┘
```
➡
```
  1 0 0 0
-       9
┌─────────┐
│         │
└─────────┘
```

```
  1 0 0 0
-     9 3
┌─────────┐
│         │
└─────────┘
```
⬅
```
  1 0 0 0
-     5 7
┌─────────┐
│         │
└─────────┘
```
⬅
```
  1 0 0 0
-     4 8
┌─────────┐
│         │
└─────────┘
```

🚩 도착

```
  1 0 0 0
-   6 7 4
┌─────────┐
│         │
└─────────┘
```
➡
```
  1 0 0 0
-   3 2 8
┌─────────┐
│         │
└─────────┘
```
➡
```
  1 0 0 0
-   8 5 1
┌─────────┐
│         │
└─────────┘
```

1000에서 쉽게 빼는 방법이 있어. 규칙을 찾아봐!

백, 십의 자리에서의 뺄셈 결과는 1씩 작아져.

```
  1 0 0 0
-   2 4 8
  ───────
    7 5 2
```
10 - 2 - 1 ← ⟶ 10 - 8
        10 - 4 - 1

몇백 만들어 더하기 는 뒷수를 몇백으로 만들어 더하는 방법이야.

➕ 뒷수를 몇백으로 만들어 덧셈을 하세요.

$$183 + 298 = \boxed{483} - 2$$

$$\underset{300 \quad -2}{\diagdown}$$

$$= \boxed{481}$$

298을 더하는 것은 300을 더한 다음
2를 빼는 것과 같아.

$$+298 \qquad +300$$
$$\underset{\sqcup}{} = \underset{\sqcup}{}\, \to -2$$

$$337 + 596 = \boxed{} - 4$$

$$\underset{600 \quad -4}{\diagdown}$$

$$= \boxed{}$$

$$658 + 794 = \boxed{} - 6$$

$$\underset{800 \quad -6}{\diagdown}$$

$$= \boxed{}$$

$$138 + 697 = \boxed{} - 3$$

$$= \boxed{}$$

$$854 + 499 = \boxed{} - 1$$

$$= \boxed{}$$

➕ 빈칸에 알맞은 수를 쓰세요.

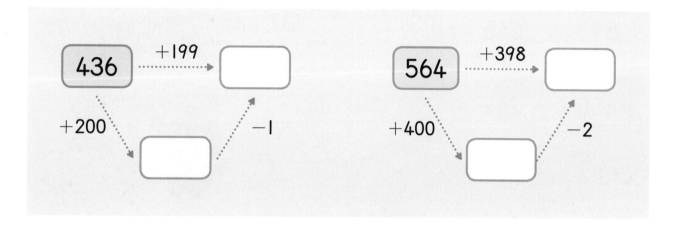

몇백으로 만들어 더하면 뭐가 좋아?

① 받아올림을 안해도 되니까 계산이 쉬워요.
② 계산이 쉬워서 실수를 줄일 수 있어요.

➕ 덧셈을 하세요.

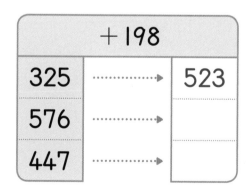

+198		
325	┈┈▶	523
576	┈┈▶	
447	┈┈▶	

+495		
269	┈┈▶	
736	┈┈▶	
848	┈┈▶	

같은 수를 더하고 빼는 덧셈
몇백에 가까운 수를 몇백으로 만들어 더하면 쉬워.

➕ 몇백에 가까운 수를 몇백으로 만들어 덧셈을 하세요.

$$597 + 245 = \boxed{}$$

$+3$ -3

$$\boxed{600} + \boxed{242} = \boxed{}$$

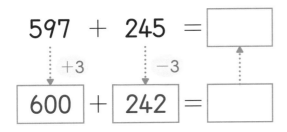

597은 600에 가까우니까 597에 3을 더해.

계산 결과가 변하지 않으려면 더한 수만큼 뒷수에서 빼줘야 해.

$$392 + 439 = \boxed{}$$

$+8$ -8

$$\boxed{} + \boxed{} = \boxed{}$$

$$704 + 568 = \boxed{}$$

-4 $+4$

$$\boxed{} + \boxed{} = \boxed{}$$

$$494 + 268 = \boxed{}$$

$$877 + 607 = \boxed{}$$

관계있는 것끼리 선으로 이으세요.

398 + 165

851 + 400

1331

845 + 406

531 + 800

563

297 + 285

852 + 500

1251

400을 더하는 건 쉽지~

535 + 796

400 + 163

582

848 + 504

300 + 282

1352

몇백 만들어 빼기 는 뒷수를 몇백으로 만들어 빼는 방법이야.

➕ 뒷수를 몇백으로 만들어 뺄셈을 하세요.

$$742 - 399 = \boxed{342} + 1$$

$-400 \quad +1$

$= \boxed{}$

> 399를 빼는 것은 400을 뺀 다음 1을 더하는 것과 같아.
>
> -399 $\quad$ -400 $\quad +1$

$$476 - 197 = \boxed{} + 3$$

$-200 \quad +3$

$= \boxed{}$

$$835 - 298 = \boxed{} + 2$$

$-300 \quad +2$

$= \boxed{}$

$$681 - 496 = \boxed{} + 4$$

$= \boxed{}$

$$963 - 195 = \boxed{} + 5$$

$= \boxed{}$

뺄셈에 알맞은 길을 그리세요.

399를 빼는 대신
400을 먼저 빼고
1을 더하는 것으로 생각해 봐.

485

475 − 399 = 76

476

624

623 − 297 = 327

534

586

496 − 198 = 288

486

736

727 − 599 = 138

737

923

922 − 496 = 426

932

5일 같은 수를 더하거나 빼는 뺄셈 몇백에 가까운 수를 몇백으로 만들어 빼면 쉬워.

➕ 몇백에 가까운 수를 몇백으로 만들어 뺄셈을 하세요.

$$652 - 397 = \boxed{}$$

$$\underset{+3}{\downarrow} \qquad \underset{+3}{\downarrow} \qquad \qquad \uparrow$$

$$\boxed{655} - \boxed{400} = \boxed{}$$

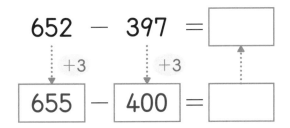

397은 400에
가까우니까
397에 3을 더해.

빼셈에서 계산 결과가
변하지 않으려면
더한 수만큼
다른 수에도
똑같이 더해야 해.

$$543 - 295 = \boxed{}$$

$$\underset{+5}{\downarrow} \qquad \underset{+5}{\downarrow} \qquad \qquad \uparrow$$

$$\boxed{} - \boxed{} = \boxed{}$$

$$302 - 165 = \boxed{}$$

$$\underset{-2}{\downarrow} \qquad \underset{-2}{\downarrow} \qquad \qquad \uparrow$$

$$\boxed{} - \boxed{} = \boxed{}$$

$$941 - 492 = \boxed{}$$

$$804 - 349 = \boxed{}$$

➕ 관계있는 것끼리 선으로 이으세요.

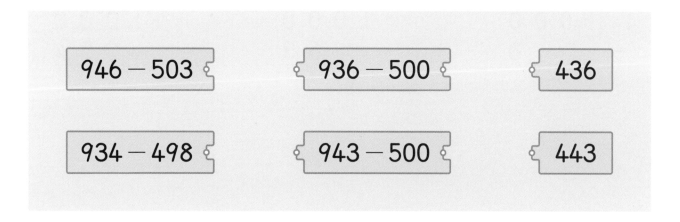

| 946 − 503 | | 936 − 500 | | 436 |
| 934 − 498 | | 943 − 500 | | 443 |

➕ 계산을 하여 알맞은 수에 색칠하세요.

몇백에 가까운 수는
먼저 몇백으로 바꾸어
계산해 봐.

346	534	536	136
138	448	364	239
532	376	634	348
344	139	366	238

| 864 − 498 | 602 − 254 |
| 703 − 565 | 935 − 399 |

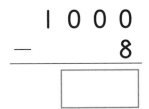

✚ 1000에서 뺄셈을 하세요.

```
  1 0 0 0
-       8
  ┌─────────┐
  │         │
  └─────────┘
```

```
  1 0 0 0
-     6 3
  ┌─────────┐
  │         │
  └─────────┘
```

```
  1 0 0 0
-   2 5 4
  ┌─────────┐
  │         │
  └─────────┘
```

✚ 몇백에 가까운 수를 몇백으로 만들어 계산하세요.

396 + 435 = ☐

⋮ +4   ⋮ −4   ↑

☐ + ☐ = ☐

945 − 398 = ☐

⋮ +2   ⋮ +2   ↑

☐ − ☐ = ☐

✚ 계산에 알맞은 길을 그리세요.

628

531   + 398 = 927

529

847

857   − 299 = 558

848

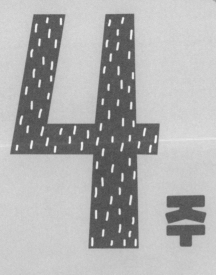

4주

덧셈과 뺄셈의 활용

학습 기준

• 덧셈식을 뺄셈식으로, 뺄셈식을 덧셈식으로 바꾸어 나타낼
  수 있나요?   □

• □가 있는 덧셈식과 뺄셈식에서 □를 구할 수 있나요?   □

• 주어진 수 카드로 가장 큰 합과 가장 큰 차를 만들 수 있나요?   □

➕ 그림을 보고 덧셈식과 뺄셈식을 **2**개씩 쓰세요.

옆으로 붙은 막대로는 덧셈식을 만들 수 있어.

836	
215	621

덧셈식

☐ + ☐ = ☐

☐ + ☐ = ☐

뺄셈식

☐ − ☐ = ☐

☐ − ☐ = ☐

위아래로 붙은 막대로는 뺄셈식을 만들 수 있어.

900	
542	358

덧셈식

☐ + ☐ = ☐

☐ + ☐ = ☐

뺄셈식

☐ − ☐ = ☐

☐ − ☐ = ☐

➕ 덧셈식은 뺄셈식으로, 뺄셈식은 덧셈식으로 각각 2개씩 나타내세요.

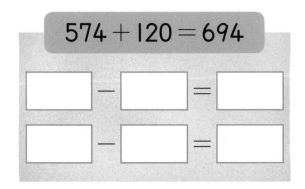

$574 + 120 = 694$

□ − □ = □

□ − □ = □

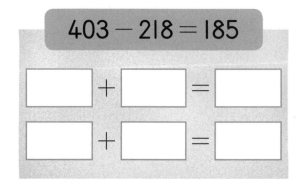

$403 - 218 = 185$

□ + □ = □

□ + □ = □

694
574 120

잘 모르겠으면 수 막대를 그려서 생각해 봐.

➕ 주어진 세 수를 이용하여 덧셈식과 뺄셈식을 각각 2개씩 나타내세요.

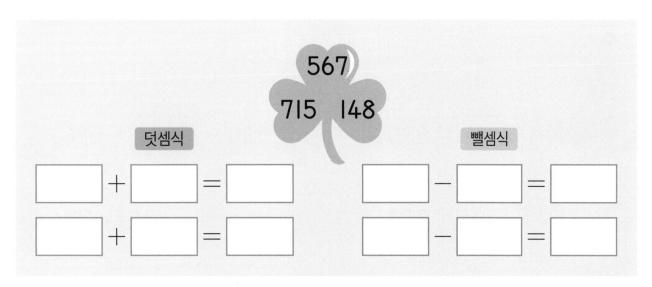

567

715   148

덧셈식

□ + □ = □

□ + □ = □

뺄셈식

□ − □ = □

□ − □ = □

□ 구하기

수 막대를 그려 봐. □를 구하는 방법이 바로 보일 거야.

➕ 수 막대를 보고 □ 안에 알맞은 수를 구하세요.

573	
258	□

위, 아래로
붙어 있는
수는 뺄셈!

651	
□	127

$$258 + \boxed{} = 573$$

□=573−258

$$\boxed{} + 127 = 651$$

725	
□	489

□	
376	364

$$725 - \boxed{} = 489$$

옆에 붙어 있는
수는 덧셈!

$$\boxed{} - 376 = 364$$

□=376+364

➕ □ 안에 알맞은 수를 쓰세요.

$$428 + \boxed{} = 635 \qquad 730 - \boxed{} = 584$$

$$\boxed{} + 394 = 923 \qquad \boxed{} - 481 = 132$$

월 일

빈칸에 알맞은 수를 쓰세요.

출발

| 175 | + | | = | 1000 |

−

| | − | 516 | = | 328 |

=

+

| | + | 37 | = | |

+

=

684

| | − | 562 | = | 168 |

=

| | − | 222 | = | 581 |

우리가 도와줄까?

47

수 모으기와 수 가르기를 하여 빈칸에 알맞은 수를 쓰세요.

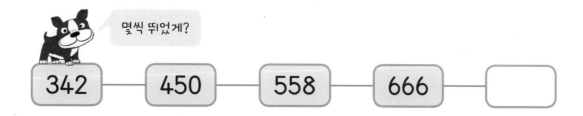

일정한 수만큼 뛰어 세어 수를 쓸 때 빈칸에 알맞은 수를 쓰세요.

몇씩 뛰었게?

342 — 450 — 558 — 666 — [ ]

차를 이용해 봐.

84 — 298 — [ ] — 726 — 940

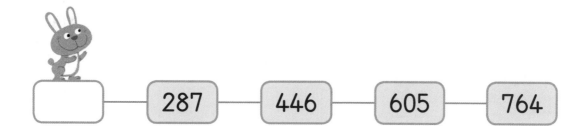

[ ] — 287 — 446 — 605 — 764

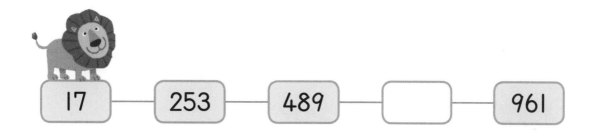

17 — 253 — 489 — [ ] — 961

4일 가장 큰 합, 가장 큰 차 만들기

백, 십, 일의 자리 순서로 놓아야 할 수를 골라 봐.

➕ 수 카드를 2장씩 골라 가장 큰 합 또는 가장 큰 차가 되는 식을 만드세요.

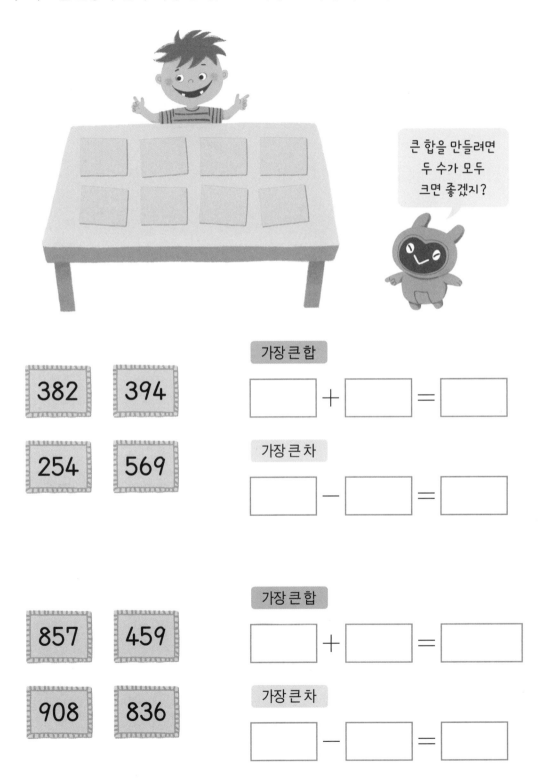

큰 합을 만들려면
두 수가 모두
크면 좋겠지?

382   394

254   569

가장 큰 합

☐ + ☐ = ☐

가장 큰 차

☐ − ☐ = ☐

857   459

908   836

가장 큰 합

☐ + ☐ = ☐

가장 큰 차

☐ − ☐ = ☐

 월 일

수 카드를 한 번씩 사용하여 가장 큰 합 또는 가장 큰 차를 만드세요.

3 7 4

6 5 2

가장 큰 합

```
  □ □ □
+ □ □ □
─────────
```

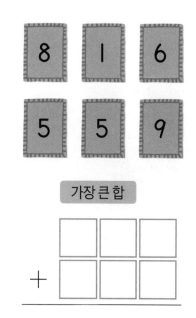

8 1 6

5 5 9

가장 큰 합

```
  □ □ □
+ □ □ □
─────────
```

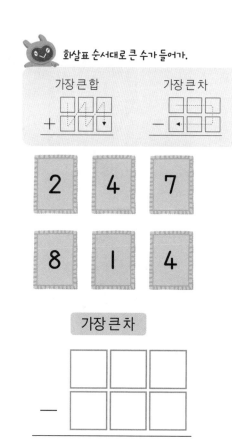

화살표 순서대로 큰 수가 들어가.

가장 큰 합	가장 큰 차
□ □ □	□ □ □
+ □ □ □	− □ □ □

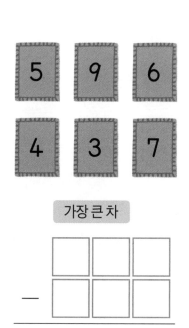

5 9 6

4 3 7

가장 큰 차

```
  □ □ □
- □ □ □
─────────
```

2 4 7

8 1 4

가장 큰 차

```
  □ □ □
- □ □ □
─────────
```

51

✚ ☐ 안에 알맞은 수를 쓰세요.

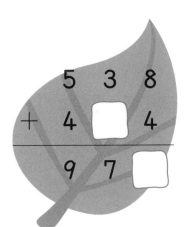

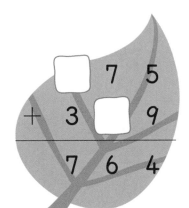

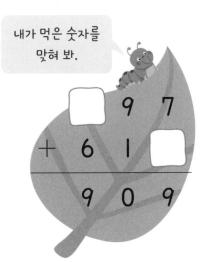

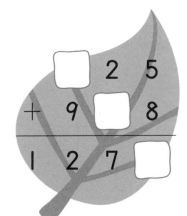

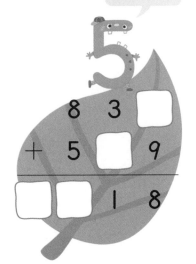

➕ □ 안에 알맞은 수를 쓰세요.

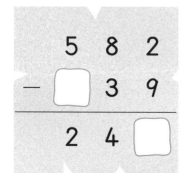

```
  5 8 2
-□  3 9
-------
  2 4 □
```

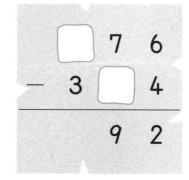

```
 □ 7 6
-3 □ 4
------
   9 2
```

보물지도의 문제를
모두 풀면 보물
상자가 열린대 ~

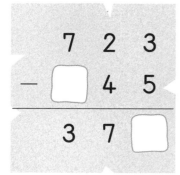

```
  7 2 3
-□  4 5
-------
  3 7 □
```

```
 □ 5 4
-3 5 □
------
 4 □ 7
```

```
 □ 2 6
-3 □ 5
------
 2 5 □
```

```
 8 6 □
-4 □ 3
------
 □ 7 5
```

```
 9 1 □
-7 6 2
------
 □ □ 8
```

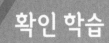

✚ ☐ 안에 알맞은 수를 쓰세요.

$$843 + \boxed{} = 1000 \qquad 736 - \boxed{} = 452$$

✚ 수 카드를 한 번씩 사용하여 가장 큰 합과 가장 큰 차를 각각 만드세요.

가장 큰 합	가장 큰 차
  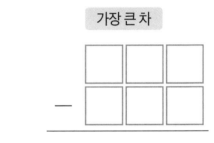

✚ ☐ 안에 알맞은 수를 쓰세요.

$$\begin{array}{r} 3\ \boxed{}\ 5 \\ +\ 8\ 5\ 8 \\ \hline 1\ \boxed{}\ 0\ \boxed{} \end{array} \qquad \begin{array}{r} \boxed{}\ 0\ 2 \\ -\ 2\ 4\ \boxed{} \\ \hline 3\ \boxed{}\ 6 \end{array}$$

마무리 평가

마무리 평가에서는 1, 2, 3, 4주 차의 유형이 순서대로 나옵니다.
문제가 틀리면 몇 주 차인지 확인하여 반드시 다시 한번 복습합니다.

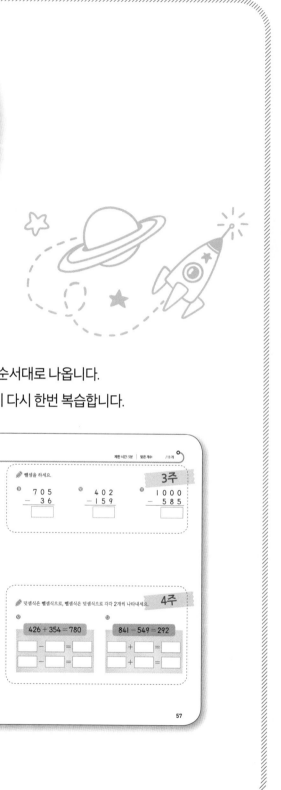

1회 마무리 평가

덧셈을 하세요.

❶

$$\begin{array}{r} 352 \\ +\ 416 \\ \hline \square \end{array}$$

❷

$$\begin{array}{r} 734 \\ +\ 242 \\ \hline \square \end{array}$$

❸ $473 + 113 = \square$

❹ $205 + 564 = \square$

뺄셈을 하세요.

❺

$$\begin{array}{r} 574 \\ -\ 121 \\ \hline \square \end{array}$$

❻

$$\begin{array}{r} 839 \\ -\ 635 \\ \hline \square \end{array}$$

❼ $653 - 543 = \square$

❽ $785 - 264 = \square$

✏️ 뺄셈을 하세요.

⑨
```
   7 0 5
 -   3 6
```

⑩
```
   4 0 2
 - 1 5 9
```

⑪
```
 1 0 0 0
 -   5 8 5
```

✏️ 덧셈식은 뺄셈식으로, 뺄셈식은 덧셈식으로 각각 2개씩 나타내세요.

⑫

$426 + 354 = 780$

	−		=	
	−		=	

⑬

$841 - 549 = 292$

	+		=	
	+		=	

✏️ 덧셈을 하세요.

① $\begin{array}{r} 5\ 3\ 7 \\ +\ 3\ 4\ 6 \\ \hline \end{array}$

② $\begin{array}{r} 2\ 8\ 3 \\ +\ 4\ 5\ 3 \\ \hline \end{array}$

③ $451 + 194 = \boxed{}$

④ $623 + 369 = \boxed{}$

✏️ 뺄셈을 하세요.

⑤ $\begin{array}{r} 6\ 1\ 4 \\ -\ 3\ 9\ 2 \\ \hline \end{array}$

⑥ $\begin{array}{r} 9\ 6\ 5 \\ -\ 4\ 1\ 9 \\ \hline \end{array}$

⑦ $456 - 238 = \boxed{}$

⑧ $823 - 593 = \boxed{}$

✏️ 빈칸에 알맞은 수를 쓰세요.

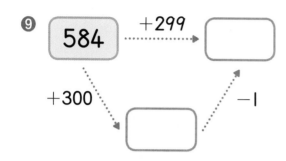

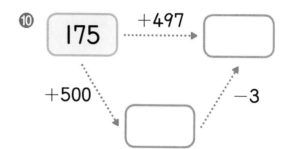

✏️ 빈칸에 알맞은 수를 쓰세요.

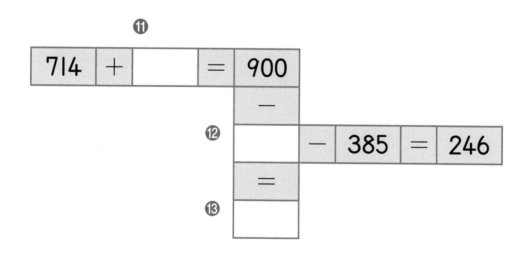

✏️ 덧셈을 하세요.

❶
```
  2 9 4
+ 4 3 7
```

❷
```
  8 7 6
+ 5 2 6
```

❸ $648 + 185 = \boxed{}$

❹ $795 + 819 = \boxed{}$

✏️ 뺄셈을 하세요.

❺
```
  5 3 0
- 1 4 8
```

❻
```
  8 2 4
- 3 5 6
```

❼ $325 - 269 = \boxed{}$

❽ $713 - 364 = \boxed{}$

✏️ 몇백에 가까운 수를 몇백으로 만들어 계산하세요.

⑨

$$594 + 148 = \boxed{}$$

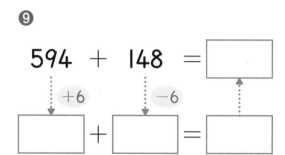

$$\boxed{} + \boxed{} = \boxed{}$$

⑩

$$854 - 398 = \boxed{}$$

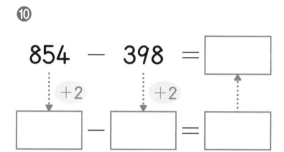

$$\boxed{} - \boxed{} = \boxed{}$$

✏️ 일정한 수만큼 뛰어 세어 수를 쓸 때 빈칸에 알맞은 수를 쓰세요.

⑪

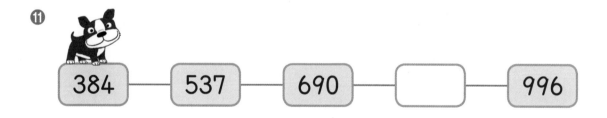

384 — 537 — 690 — ☐ — 996

⑫

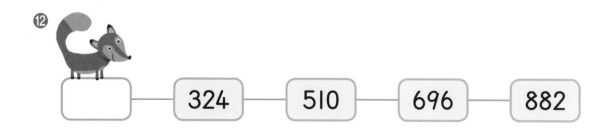

☐ — 324 — 510 — 696 — 882

✏️ 덧셈에 알맞은 길을 따라 선을 그리세요.

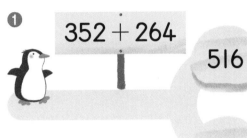

❶ 352 + 264

516

616

❷ 645 + 697

1342

1332

✏️ 가르기 하여 빈칸에 알맞은 수를 쓰세요.

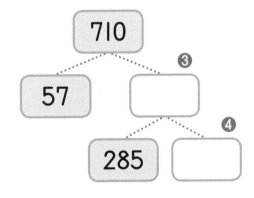

710

57

❸

❹

285

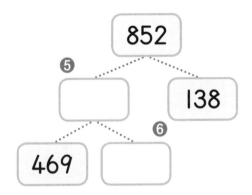

852

❺

138

❻

469

✏️ 뒷수를 몇백으로 만들어 뺄셈을 하세요.

❼

$$572 - 397 = \boxed{} + 3$$

$$= \boxed{}$$

❽

$$835 - 296 = \boxed{} + 4$$

$$= \boxed{}$$

✏️ 수 카드를 한 번씩 사용하여 가장 큰 합과 가장 큰 차를 각각 만드세요.

❾

| 6 | 5 | 2 |
| 8 | 4 | 9 |

가장 큰 합

$$+$$

❿

| 5 | 3 | 6 |
| 7 | 1 | 3 |

가장 큰 차

$$-$$

✏️ 십, 일의 자리 수의 합을 보고 백의 자리부터 계산하세요.

❶
```
   5 2 7
 + 1 3 6
```

❷
```
   8 6 5
 + 7 4 8
```

❸
```
   4 5 3
 + 9 7 4
```

✏️ 십, 일의 자리 수의 차를 보고 백의 자리부터 계산하세요.

❹
```
   6 4 5
 - 3 8 4
```

❺
```
   7 5 2
 - 2 7 9
```

❻
```
   8 3 6
 - 6 3 7
```

✏️ 몇백에 가까운 수를 몇백으로 만들어 뺄셈을 하세요.

❼

$$802 - 165 = \boxed{}$$

-2 ↓   -2 ↓

$$\boxed{} - \boxed{} = \boxed{}$$

❽

$$756 - 497 = \boxed{}$$

+3 ↓   +3 ↓

$$\boxed{} - \boxed{} = \boxed{}$$

✏️ ☐ 안에 알맞은 수를 쓰세요.

❾

```
    ☐ 5 8
  + 7 ☐ 6
  ─────────
  1 4 0 ☐
```

❿

```
    ☐ 3 5
  - 5 7 ☐
  ─────────
    3 ☐ 8
```

65

MEMO

실력 평가

초3_1권

시간	2분 30초	문제 수	16개

배점	기본 4점 1문제 6점 / 총 100점

날짜: _____ 월 _____ 일

이름: _____

점수: _____ 점

사고가 자라는 수학
씨투엠

① $\begin{array}{r} 4\ 5\ 8 \\ +\ 3\ 2\ 3 \\ \hline \end{array}$

② $\begin{array}{r} 6\ 8\ 4 \\ +\ 1\ 8\ 2 \\ \hline \end{array}$

③ $\begin{array}{r} 7\ 4\ 5 \\ +\ 5\ 3\ 5 \\ \hline \end{array}$

④ $\begin{array}{r} 5\ 7\ 6 \\ -\ 1\ 4\ 9 \\ \hline \end{array}$

⑤ $\begin{array}{r} 9\ 3\ 6 \\ -\ 5\ 5\ 3 \\ \hline \end{array}$

⑥ $\begin{array}{r} 1\ 0\ 0\ 0 \\ -\ \ \ 7\ 5\ 1 \\ \hline \end{array}$

⑦ $\begin{array}{r} 9\ 4\ 3 \\ +\ 4\ 2\ 3 \\ \hline \end{array}$

⑧ $\begin{array}{r} 4\ 0\ 4 \\ -\ 3\ 6\ 5 \\ \hline \end{array}$

⑨ $\begin{array}{r} 5\ 2\ 8 \\ +\ 9\ 7\ 8 \\ \hline \end{array}$

⑩ $\begin{array}{r} 6\ 2\ 1 \\ -\ 3\ 8\ 9 \\ \hline \end{array}$

⑪ $\begin{array}{r} 2\ 6\ 6 \\ +\ 7\ 3\ 5 \\ \hline \end{array}$

⑫ $\begin{array}{r} 7\ 9\ 3 \\ -\ 3\ 9\ 5 \\ \hline \end{array}$

⑬ $894 + 452 =$

⑭ $645 - 387 =$

⑮ $517 + 385 =$

⑯ $803 - 146 =$

유아·초등 수학의 필수 개념
교과연계 수백판 100

유아·초등수학에서 꼭 해야 할 필수 교구 수백판 100

수백판

+

워크북(2권)

① 편리한 설계로
유아부터 초등까지
누구나 쉽게 이용가능!

② 보다 다양한 활동을 위해
읽기판과 천판
추가!

③ 수칩 구분이 쉬워
정리와 보관까지
한 번에!

④ 초등수학교과를 연계한 체계적인 워크북과
함께하면 스스로 실력이 쑥쑥!

**100%
교과 연계
워크북**

교과연계 단위 소개와 배워
야 할 학습목표를 한눈에 볼
수 있습니다.

씨투엠이 만들면 기준이 됩니다!

초등 연산의 기준

정답

칸토의 연산

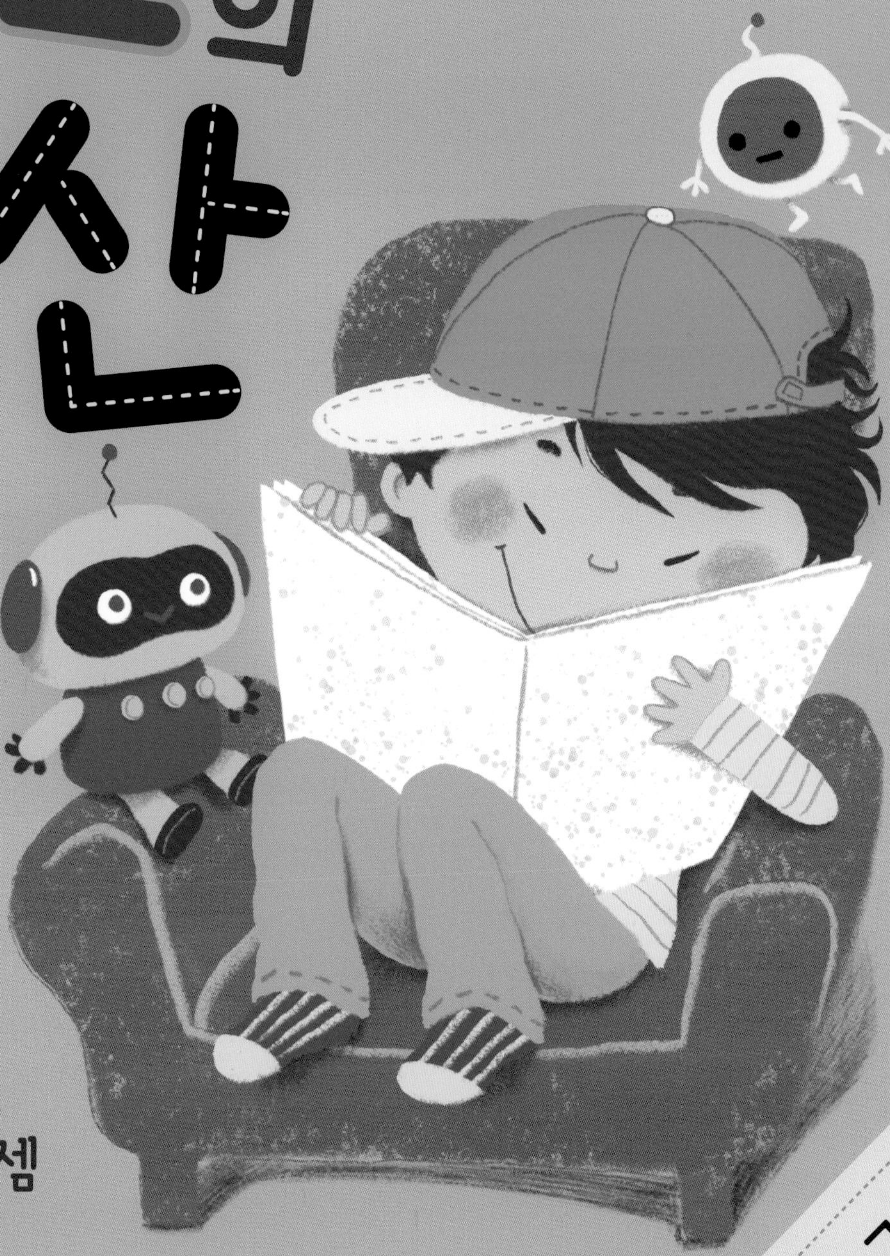

세 자리 수의

덧셈과 뺄셈

사고가 자라는 수학
씨투엠

초3·1권

초등 연산의 기준

칸토의 연산

정답

세 자리 수의 덧셈과 뺄셈

1주: (세 자리 수)+(세 자리 수)

1일 받아올림 없는 계산 동전을 이용하면 세 자리 수의 덧셈을 이해하기 쉬워.

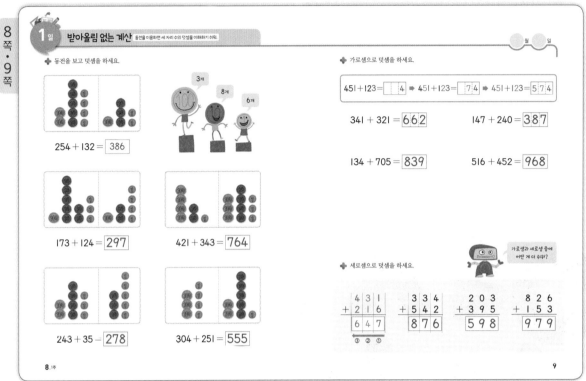

➕ 동전을 보고 덧셈을 하세요.

254 + 132 = 386

173 + 124 = 297

421 + 343 = 764

243 + 35 = 278

304 + 251 = 555

➕ 가로셈으로 덧셈을 하세요.

451+123 = ⬜⬜4 ➡ 451+123 = ⬜74 ➡ 451+123 = 574

341 + 321 = 662   147 + 240 = 387

134 + 705 = 839   516 + 452 = 968

가로셈과 세로셈 중에 어떤 게 더 쉬울까?

➕ 세로셈으로 덧셈을 하세요.

```
  4 3 1      3 3 4      2 0 3      8 2 6
+ 2 1 6    + 5 4 2    + 3 9 5    + 1 5 3
  6 4 7      8 7 6      5 9 8      9 7 9
  ③ ② ①
```

8.1주

9

2일 받아올림 1번 있는 계산 큰 수의 덧셈도 자리만 맞추면 쉬워.

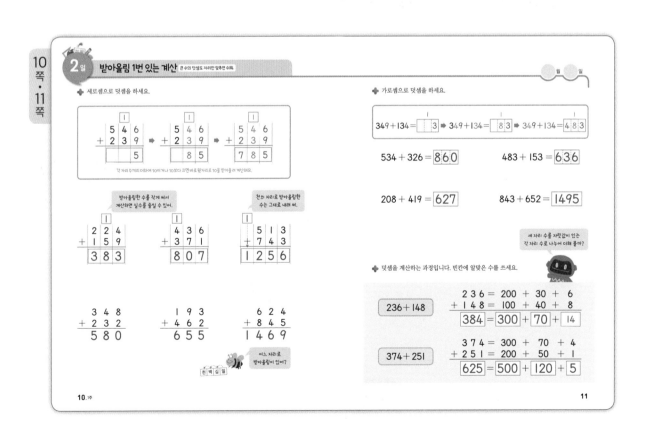

➕ 세로셈으로 덧셈을 하세요.

```
    1          1          1
  5 4 6      5 4 6      5 4 6
+ 2 3 9    + 2 3 9    + 2 3 9
             5   5      8 5      7 8 5
```

각 자리 수끼리 더하여 10이거나 10보다 크면 바로 윗자리로 10을 받아올려 계산해요.

받아올림한 수를 작게 써서 계산하면 실수를 줄일 수 있어.

```
  1          1
  2 2 4      4 3 6
+ 1 5 9    + 3 7 1
  3 8 3      8 0 7
```

천의 자리로 받아올림한 수는 그대로 내려 써.

```
  1
  5 1 3
+ 7 4 3
1 2 5 6
```

```
  3 4 8      1 9 3      6 2 4
+ 2 3 2    + 4 6 2    + 8 4 5
  5 8 0      6 5 5    1 4 6 9
```

어느 자리로 받아올림이 있어?
천 백 십 일

➕ 가로셈으로 덧셈을 하세요.

349+134 = ⬜⬜3 ➡ 349+134 = ⬜83 ➡ 349+134 = 483

534 + 326 = 860   483 + 153 = 636

208 + 419 = 627   843 + 652 = 1495

세 자리 수를 자릿값이 있는 각 자리 수로 나누어 더해 볼까?

➕ 덧셈을 계산하는 과정입니다. 빈칸에 알맞은 수를 쓰세요.

236+148
```
  2 3 6 = 200 + 30 + 6
+ 1 4 8 = 100 + 40 + 8
  3 8 4 = 300 + 70 + 14
```

374+251
```
  3 7 4 = 300 + 70 + 4
+ 2 5 1 = 200 + 50 + 1
  6 2 5 = 500 + 120 + 5
```

10.1주

11

3일 받아올림 2번, 3번 있는 계산 받아올림한 수 1을 잊지 않고 꼭 더해야 해.

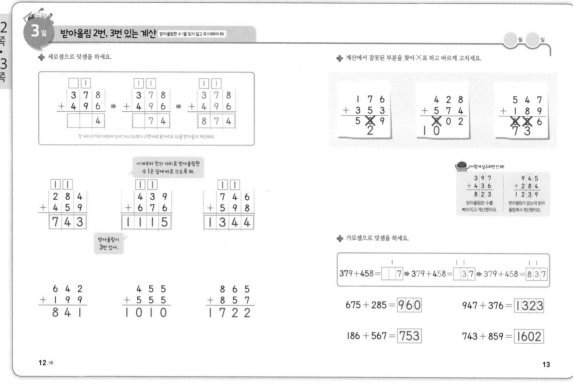

◆ 세로셈으로 덧셈을 하세요.

```
    1
  3 7 8        1 1        1 1
+ 4 9 6  ➡   3 7 8   ➡   3 7 8
      4      + 4 9 6     + 4 9 6
               7 4       8 7 4
```

각 자리 수끼리 더하여 10이거나 10보다 크면 바로 윗자리로 10을 받아올려 계산해요.

이제부터 천의 자리로 받아올림한 수 1은 답에 바로 쓰도록 해.

```
  1 1        1 1          1 1
  2 8 4      4 3 9        7 4 6
+ 4 5 9    + 6 7 6      + 5 9 8
  7 4 3    1 1 1 5      1 3 4 4
```

받아올림이 3번 있어.

```
  6 4 2      4 5 5        8 6 5
+ 1 9 9    + 5 5 5      + 8 5 7
  8 4 1    1 0 1 0      1 7 2 2
```

◆ 계산에서 잘못된 부분을 찾아 ╳표 하고 바르게 고치세요.

```
  1 7 6      4 2 8        5 4 7
+ 3 5 3    + 5 7 4      + 1 8 9
5 ╳ 9        ╳ 0 2      ╳ ╳ 6
  2          1 0         7 3
```

받아올림한 수를 빠뜨리고 계산했어요.

```
  3 9 7      9 4 5
+ 4 3 6    + 2 8 4
  8 2 3    1 2 3 9
```

받아올림한 수를 빠뜨리고 계산했어요.   받아올림이 없는데 받아올림해서 계산했어요.

◆ 가로셈으로 덧셈을 하세요.

```
              1            1 1           1 1
379+458=[  ]7 ➡ 379+458=[ ]37 ➡ 379+458=837
```

675 + 285 = 960   947 + 376 = 1323

186 + 567 = 753   743 + 859 = 1602

4일 세 자리 수의 덧셈 연습 세로셈은 이제 잘 할 수 있지? 가로셈도 연습해 볼까?

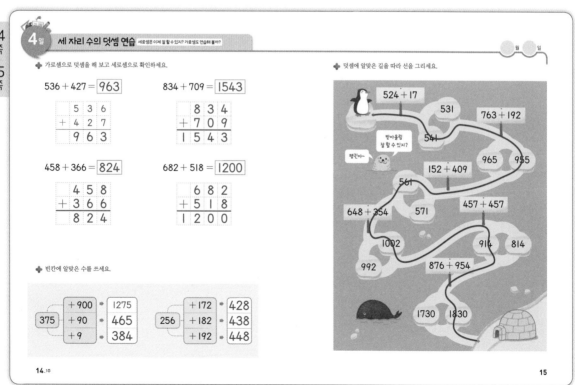

◆ 가로셈으로 덧셈을 해 보고 세로셈으로 확인하세요.

536 + 427 = 963

```
  5 3 6
+ 4 2 7
  9 6 3
```

834 + 709 = 1543

```
  8 3 4
+ 7 0 9
1 5 4 3
```

458 + 366 = 824

```
  4 5 8
+ 3 6 6
  8 2 4
```

682 + 518 = 1200

```
  6 8 2
+ 5 1 8
1 2 0 0
```

◆ 빈칸에 알맞은 수를 쓰세요.

```
         +900 ➡ 1275              +172 ➡ 428
  375    +90  ➡ 465        256    +182 ➡ 438
         +9   ➡ 384               +192 ➡ 448
```

◆ 덧셈에 알맞은 길을 따라 선을 그리세요.

524+17   531   763+192
541   965   955
방아올림 잘할 수 있지?
펭귄아~
152+409   561
457+457
648+354   571
1002   914   814
992   876+954
1730   1830

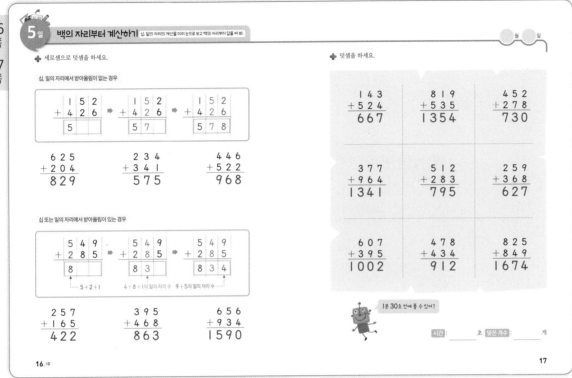

5일 백의 자리부터 계산하기 십, 일의 자리의 계산을 미리 눈으로 보고 백의 자리부터 답을 써 봐.

월 일

➕ 세로셈으로 덧셈을 하세요.

십, 일의 자리에서 받아올림이 없는 경우

```
  1 5 2        1 5 2        1 5 2
+ 4 2 6   ➡  + 4 2 6   ➡  + 4 2 6
  5            5 7          5 7 8
```

```
  6 2 5        2 3 4        4 4 6
+ 2 0 4      + 3 4 1      + 5 2 2
  8 2 9        5 7 5        9 6 8
```

십 또는 일의 자리에서 받아올림이 있는 경우

```
  5 4 9        5 4 9        5 4 9
+ 2 8 5   ➡  + 2 8 5   ➡  + 2 8 5
  8            8 3          8 3 4
         5+2+1    4+8+1의 일의 자리 수   9+5의 일의 자리 수
```

```
  2 5 7        3 9 5        6 5 6
+ 1 6 5      + 4 6 8      + 9 3 4
  4 2 2        8 6 3        1 5 9 0
```

➕ 덧셈을 하세요.

```
  1 4 3        8 1 9        4 5 2
+ 5 2 4      + 5 3 5      + 2 7 8
  6 6 7        1 3 5 4      7 3 0
```

```
  3 7 7        5 1 2        2 5 9
+ 9 6 4      + 2 8 3      + 3 6 8
  1 3 4 1      7 9 5        6 2 7
```

```
  6 0 7        4 7 8        8 2 5
+ 3 9 5      + 4 3 4      + 8 4 9
  1 0 0 2      9 1 2        1 6 7 4
```

1분 30초 안에 풀 수 있어?

시간 : _____ 초   맞은 개수 : _____ 개

16.1주

17

✏️ 확인 학습

➕ 덧셈을 하세요.

```
  2 2 4        3 8 6
+ 1 5 9      + 6 7 5
  3 8 3        1 0 6 1
```

447 + 508 = 955

653 + 694 = 1347

➕ 빈칸에 알맞은 수를 쓰세요.

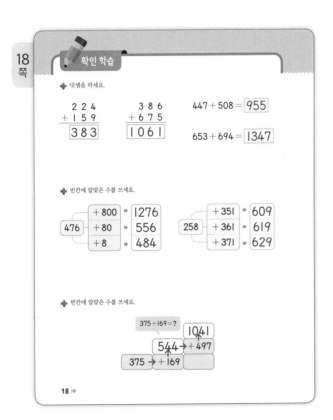

476 → +800 → 1276
476 → +80 → 556
476 → +8 → 484

258 → +351 → 609
258 → +361 → 619
258 → +371 → 629

➕ 빈칸에 알맞은 수를 쓰세요.

375 + 169 = ?

1041
544 → +497
375 → +169

18.1주

1주

4

2주: (세 자리 수)-(세 자리 수)

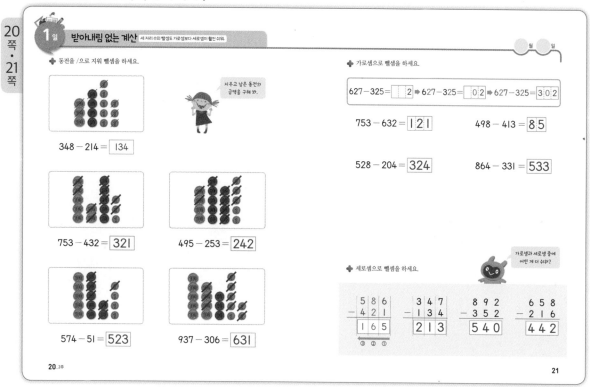

1일 받아내림 없는 계산 세 자리 수의 뺄셈도 가로셈보다 세로셈이 활씬 쉬워.

20쪽 · 21쪽

➕ 동전을 /으로 지워 뺄셈을 하세요.

지우고 남은 동전의 금액을 구해 봐.

348 − 214 = 134

753 − 432 = 321

495 − 253 = 242

574 − 51 = 523

937 − 306 = 631

➕ 가로셈으로 뺄셈을 하세요.

627−325 = ☐☐2 ➡ 627−325 = ☐02 ➡ 627−325 = 302

753 − 632 = 121   498 − 413 = 85

528 − 204 = 324   864 − 331 = 533

가로셈과 세로셈 중에 어떤 게 더 쉬워?

➕ 세로셈으로 뺄셈을 하세요.

```
   5 8 6      3 4 7      8 9 2      6 5 8
 − 4 2 1    − 1 3 4    − 3 5 2    − 2 1 6
   1 6 5      2 1 3      5 4 0      4 4 2
   ③②①
```

20.2주

21

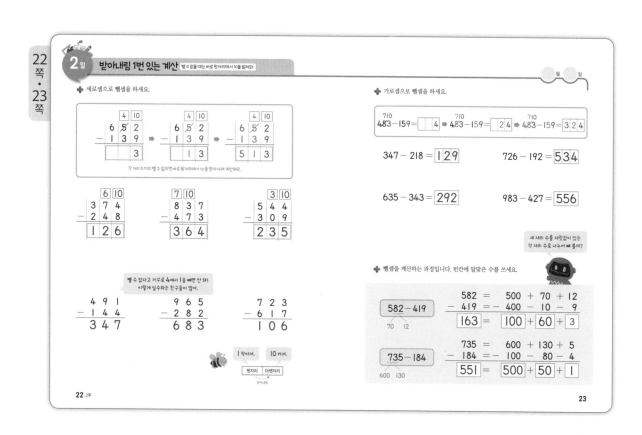

2일 받아내림 1번 있는 계산 뺄 수 없을 때는 바로 윗자리에서 10을 빌려와.

22쪽 · 23쪽

➕ 세로셈으로 뺄셈을 하세요.

```
    4 10        4 10         4 10
  6 5̷ 2       6 5̷ 2        6 5̷ 2
− 1 3 9   ➡ − 1 3 9   ➡  − 1 3 9
      3          1 3        5 1 3
```
각 자리 수끼리 뺄 수 없으면 바로 윗자리에서 10을 받아내려 계산해요.

```
    6 10        7 10         3 10
  3 7 4       8 3 7        5 4 4
− 2 4 8     − 4 7 3      − 3 0 9
  1 2 6       3 6 4        2 3 5
```

뺄 수 없다고 거꾸로 4에서 l을 빼면 안 돼! 이렇게 실수하는 친구들이 많아.

```
  4 9 1       9 6 5        7 2 3
− 1 4 4     − 2 8 2      − 6 1 7
  3 4 7       6 8 3        1 0 6
```

l 작아져.   l0 커져.

윗자리   아랫자리
받아내림

➕ 가로셈으로 뺄셈을 하세요.

483−159 = ☐☐4 ➡ 483−159 = ☐24 ➡ 483−159 = 324

347 − 218 = 129   726 − 192 = 534

635 − 343 = 292   983 − 427 = 556

세 자리 수를 자릿값이 있는 각 자리 수로 나누어 빼 볼까?

➕ 뺄셈을 계산하는 과정입니다. 빈칸에 알맞은 수를 쓰세요.

```
582 − 419
   70  12

  582 =  500 + 70 + 12
− 419 = −400 − 10 − 9
  163 =  100 + 60 + 3
```

```
735 − 184
   600 130

  735 =  600 + 130 + 5
− 184 = −100 − 80 − 4
  551 =  500 + 50 + 1
```

22.2주

23

5

3일 받아내림 2번 있는 계산 십의 자리에서 받아내림한 것처럼 백의 자리에서도 받아내림 해!

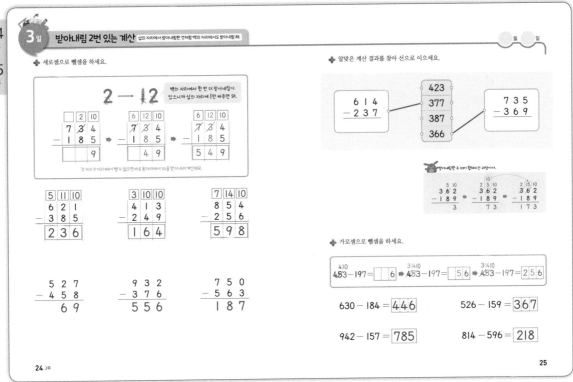

4일 세 자리 수의 뺄셈 연습 어느 자리에서 받아내림이 있는지 눈을 크게 뜨고 계산해야 해!

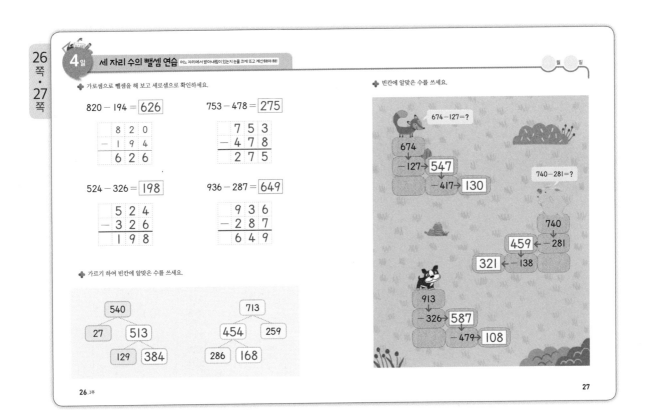

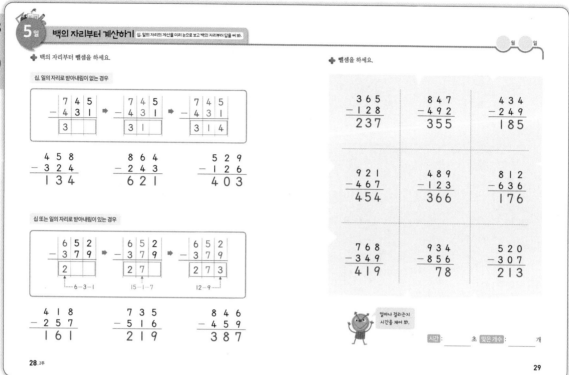

5일 **백의 자리부터 계산하기** 십, 일의 자리의 계산을 미리 눈으로 보고 백의 자리부터 답을 써 봐.

월 일

➕ 백의 자리부터 뺄셈을 하세요.

십, 일의 자리로 받아내림이 없는 경우

```
  7 4 5       7 4 5       7 4 5
- 4 3 1  ➡  - 4 3 1  ➡  - 4 3 1
  3           3 1         3 1 4
```

```
  4 5 8       8 6 4       5 2 9
- 3 2 4     - 2 4 3     - 1 2 6
  1 3 4       6 2 1       4 0 3
```

십 또는 일의 자리로 받아내림이 있는 경우

```
  6 5 2       6 5 2       6 5 2
- 3 7 9  ➡  - 3 7 9  ➡  - 3 7 9
  2           2 7         2 7 3
```
    └┈ 6-3-1   └┈ 15-1-7   └┈ 12-9

```
  4 1 8       7 3 5       8 4 6
- 2 5 7     - 5 1 6     - 4 5 9
  1 6 1       2 1 9       3 8 7
```

➕ 뺄셈을 하세요.

```
  3 6 5       8 4 7       4 3 4
- 1 2 8     - 4 9 2     - 2 4 9
  2 3 7       3 5 5       1 8 5
```

```
  9 2 1       4 8 9       8 1 2
- 4 6 7     - 1 2 3     - 6 3 6
  4 5 4       3 6 6       1 7 6
```

```
  7 6 8       9 3 4       5 2 0
- 3 4 9     - 8 5 6     - 3 0 7
  4 1 9        7 8        2 1 3
```

얼마나 걸리는지 시간을 재어 봐.

시간 : ____ 초 **맞은 개수** : ____ 개

28 ·2주

29

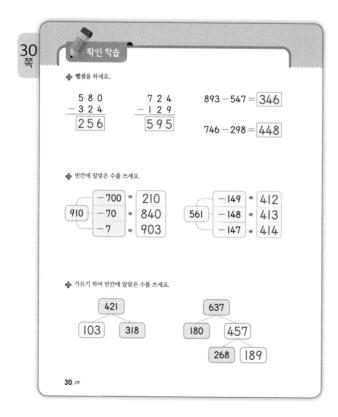

✏️ **확인 학습**

➕ 뺄셈을 하세요.

```
  5 8 0       7 2 4
- 3 2 4     - 1 2 9
  2 5 6       5 9 5
```

893 - 547 = 346

746 - 298 = 448

➕ 빈칸에 알맞은 수를 쓰세요.

```
        - 700  ➡  210
  910   - 70   ➡  840
        - 7    ➡  903
```

```
        - 149  ➡  412
  561   - 148  ➡  413
        - 147  ➡  414
```

➕ 가르기 하여 빈칸에 알맞은 수를 쓰세요.

```
       421
      /    \
   103      318
```

```
       637
      /    \
   180      457
           /    \
        268      189
```

30 ·2주

2주

정답

3주: 간단하게 계산하기

1일 0에서 빼기 받아내림이 안될 때는 한 자리 더 위에서 받아내림해.

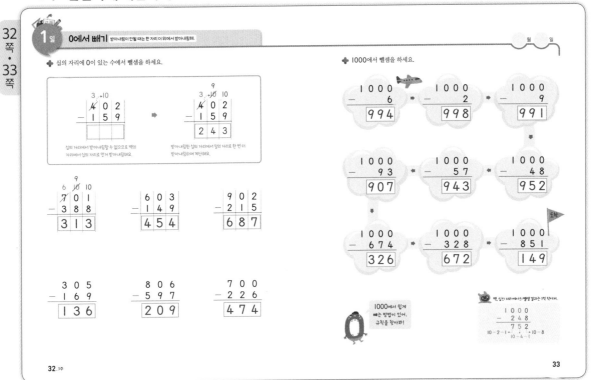

2일 몇백 만들어 더하기 는 뒷수를 몇백으로 만들어 더하는 방법이야.

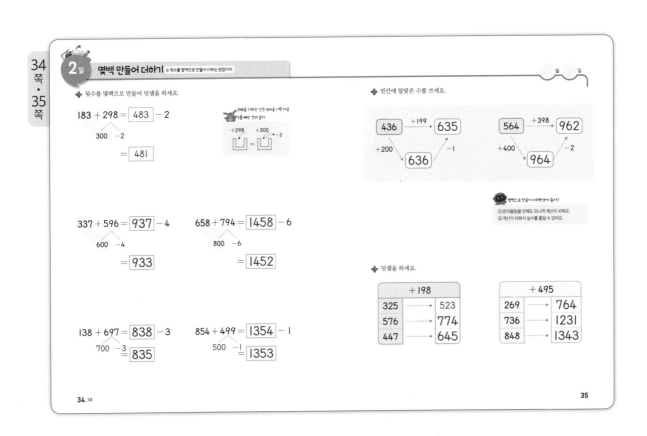

8

3일 **같은 수를 더하고 빼는 덧셈** 몇백에 가까운 수를 몇백으로 만들어 더하면 쉬워.

◆ 몇백에 가까운 수를 몇백으로 만들어 덧셈을 하세요.

$597 + 245 = \boxed{842}$

$\boxed{600} + \boxed{242} = \boxed{842}$

597은 600에
가까우니까
597에 3을 더해.

계산 결과가 변하지
않으려면 더한 수만큼
뒷수에서 빼줘야 해.

$392 + 439 = \boxed{831}$

$\boxed{400} + \boxed{431} = \boxed{831}$

$704 + 568 = \boxed{1272}$

$\boxed{700} + \boxed{572} = \boxed{1272}$

$494 + 268 = \boxed{762}$

500   262

$877 + 607 = \boxed{1484}$

884   600

◆ 관계있는 것끼리 선으로 이으세요.

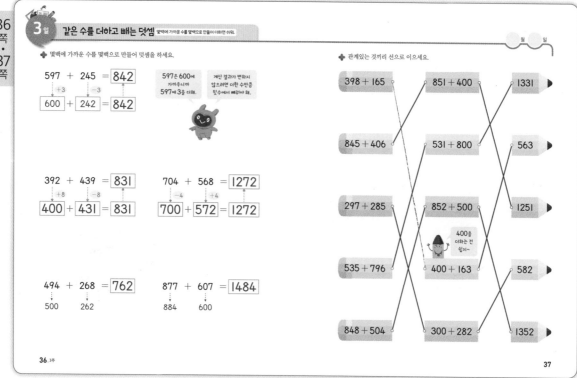

398 + 165	851 + 400	1331
845 + 406	531 + 800	563
297 + 285	852 + 500	1251
535 + 796	400 + 163	582
848 + 504	300 + 282	1352

400을
더하는 건
쉽지~

36_3주

37

4일 **몇백 만들어 빼기** 는 뒷수를 몇백으로 만들어 빼는 방법이야.

◆ 뒷수를 몇백으로 만들어 뺄셈을 하세요.

$742 - 399 = \boxed{342} + 1$

　　　$-400 \quad +1$

　　　　$= \boxed{343}$

399를 빼는 것은 400을 뺀 다음 1을
더하는 것과 같아.

$-399 = -400 +1$

$476 - 197 = \boxed{276} + 3$

　　　$-200 \quad +3$

　　　　$= \boxed{279}$

$835 - 298 = \boxed{535} + 2$

　　　$-300 \quad +2$

　　　　$= \boxed{537}$

$681 - 496 = \boxed{181} + 4$

　　　$-500 \quad +4$　$= \boxed{185}$

$963 - 195 = \boxed{763} + 5$

　　　$-200 \quad +5$　$= \boxed{768}$

◆ 뺄셈에 알맞은 길을 그리세요.

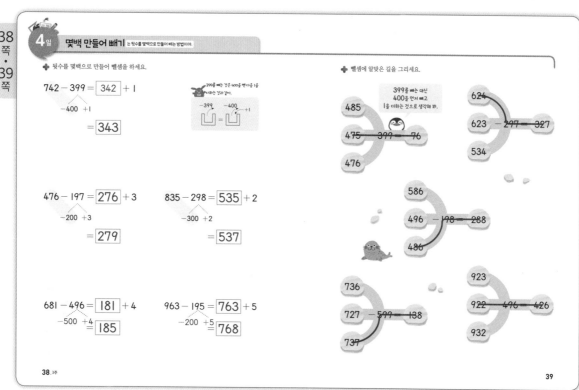

399를 빼는 대신
400을 먼저 빼고
1을 더하는 것으로 생각해 봐.

485
475 — 399 — 76
476

624
623 — 297 — 327
534

586
496 — 198 — 288
486

736
727 — 599 — 138
737

923
922 — 496 — 426
932

38_3주

39

9

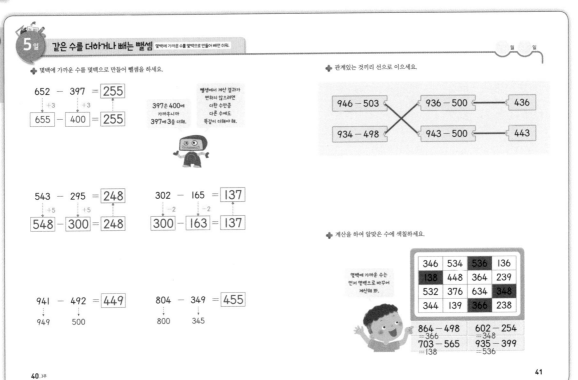

5일 같은 수를 더하거나 빼는 뺄셈 몇백에 가까운 수를 몇백으로 만들어 빼면 쉬워.

월 일

➕ 몇백에 가까운 수를 몇백으로 만들어 뺄셈을 하세요.

$$652 - 397 = 255$$
$$655 - 400 = 255$$

뺄셈에서 계산 결과가
변화지 않으려면
더한 수만큼
다른 수에도
똑같이 더해야 해.

397은 400에
가까우니까
397을 3을 더해.

$$543 - 295 = 248$$
$$548 - 300 = 248$$

$$302 - 165 = 137$$
$$300 - 163 = 137$$

$$941 - 492 = 449$$
$$949 \quad 500$$

$$804 - 349 = 455$$
$$800 \quad 345$$

➕ 관계있는 것끼리 선으로 이으세요.

| 946 − 503 | ✕ | 936 − 500 | 436 |
| 934 − 498 | | 943 − 500 | 443 |

➕ 계산을 하여 알맞은 수에 색칠하세요.

몇백에 가까운 수는
먼저 몇백으로 바꾸어
계산해 봐.

346	534	536	136
138	448	364	239
532	376	634	348
344	139	366	238

864 − 498
=366
703 − 565
=138

602 − 254
=348
935 − 399
=536

40·3주

41

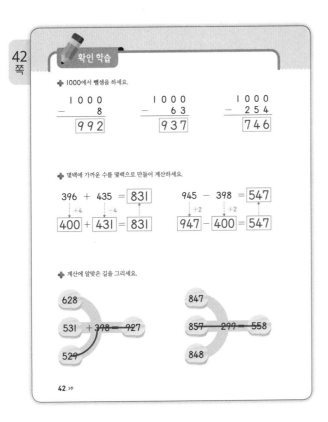

확인 학습

➕ 1000에서 뺄셈을 하세요.

$$\begin{array}{r} 1000 \\ - \quad 8 \\ \hline 992 \end{array}$$

$$\begin{array}{r} 1000 \\ - \quad 63 \\ \hline 937 \end{array}$$

$$\begin{array}{r} 1000 \\ - 254 \\ \hline 746 \end{array}$$

➕ 몇백에 가까운 수를 몇백으로 만들어 계산하세요.

$$396 + 435 = 831$$
$$400 + 431 = 831$$

$$945 - 398 = 547$$
$$947 - 400 = 547$$

➕ 계산에 알맞은 길을 그리세요.

628
531 + 398 = 927
529

847
857 − 299 = 558
848

42·3주

3주

4주: 덧셈과 뺄셈의 활용

1일 덧셈과 뺄셈의 관계

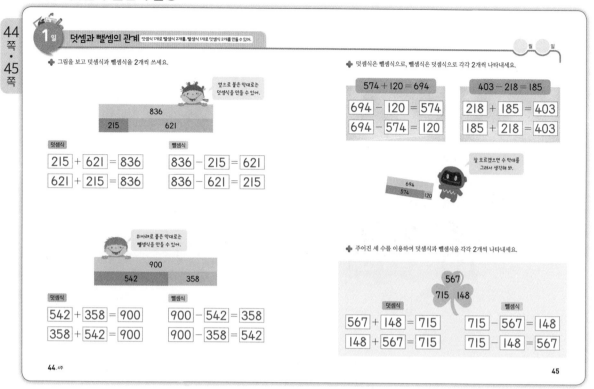

➕ 그림을 보고 덧셈식과 뺄셈식을 2개씩 쓰세요.

옆으로 붙은 막대로는 덧셈식을 만들 수 있어.

836
215	621

덧셈식

$215 + 621 = 836$
$621 + 215 = 836$

뺄셈식

$836 - 215 = 621$
$836 - 621 = 215$

위아래로 붙은 막대로는 뺄셈식을 만들 수 있어.

900
542
358

덧셈식

$542 + 358 = 900$
$358 + 542 = 900$

뺄셈식

$900 - 542 = 358$
$900 - 358 = 542$

➕ 덧셈식은 뺄셈식으로, 뺄셈식은 덧셈식으로 각각 2개씩 나타내세요.

$574 + 120 = 694$

$694 - 120 = 574$
$694 - 574 = 120$

$403 - 218 = 185$

$218 + 185 = 403$
$185 + 218 = 403$

잘 모르겠으면 수 막대를 그려서 생각해 봐.

694
574	120

➕ 주어진 세 수를 이용하여 덧셈식과 뺄셈식을 각각 2개씩 나타내세요.

567
715 148

덧셈식

$567 + 148 = 715$
$148 + 567 = 715$

뺄셈식

$715 - 567 = 148$
$715 - 148 = 567$

2일 ☐ 구하기

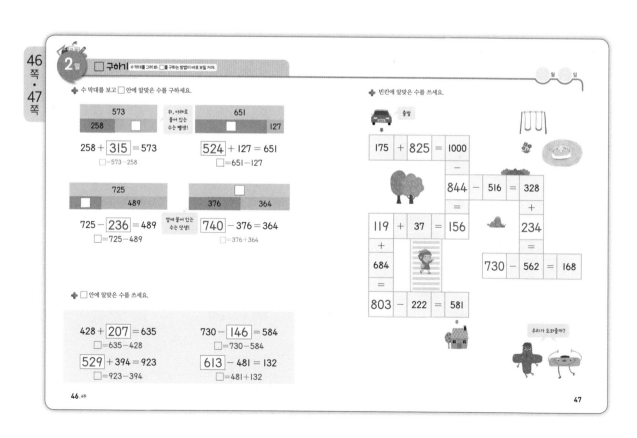

➕ 수 막대를 보고 ☐ 안에 알맞은 수를 구하세요.

573
258	☐

위, 아래로 붙어 있는 수는 뺄셈!

$258 + \boxed{315} = 573$
☐=573-258

651
☐	127

$\boxed{524} + 127 = 651$
☐=651-127

725
☐	489

$725 - \boxed{236} = 489$
☐=725-489

옆에 붙어 있는 수는 덧셈!

☐
376	364

$\boxed{740} - 376 = 364$
☐=376+364

➕ ☐ 안에 알맞은 수를 쓰세요.

$428 + \boxed{207} = 635$
☐=635-428

$\boxed{529} + 394 = 923$
☐=923-394

$730 - \boxed{146} = 584$
☐=730-584

$613 - \boxed{481} = 132$
☐=481+132

➕ 빈칸에 알맞은 수를 쓰세요

출발

175	+	825	=	1000
				−
		844	−	516	=	328

119	+	37	=	156
+				+
684				234
=				=
803	−	222	=	581

$730 - 562 = 168$

우리가 도와줄까?

3일 **세 자리 수의 덧셈·뺄셈 연습** 모으기, 가르기로 세 자리 수의 덧셈과 뺄셈을 연습해 봐.

월 일

✚ 수 모으기와 수 가르기를 하여 빈칸에 알맞은 수를 쓰세요.

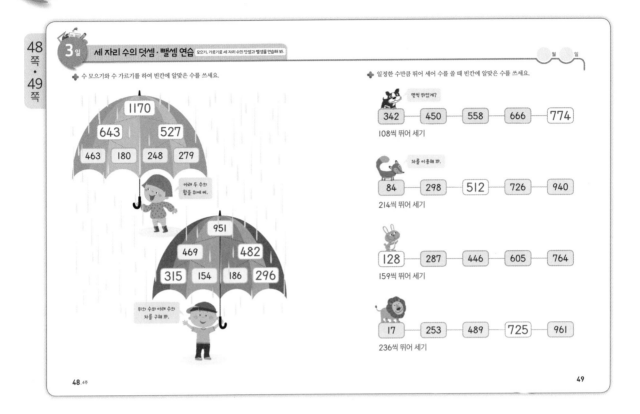

아래 두 수의 합을 위에 써.

1170
643 527
463 180 248 279

위의 수와 아래 수의 차를 구해 봐.

951
469 482
315 154 186 296

✚ 일정한 수만큼 뛰어 세어 수를 쓸 때 빈칸에 알맞은 수를 쓰세요.

몇씩 뛰었게?
342 ─ 450 ─ 558 ─ 666 ─ 774
108씩 뛰어 세기

차를 이용해 봐.
84 ─ 298 ─ 512 ─ 726 ─ 940
214씩 뛰어 세기

128 ─ 287 ─ 446 ─ 605 ─ 764
159씩 뛰어 세기

17 ─ 253 ─ 489 ─ 725 ─ 961
236씩 뛰어 세기

4일 **가장 큰 합, 가장 큰 차 만들기** 백, 십, 일의 자리 순서로 놓아야 할 수를 골라 봐.

월 일

✚ 수 카드를 2장씩 골라 가장 큰 합 또는 가장 큰 차가 되는 식을 만드세요.

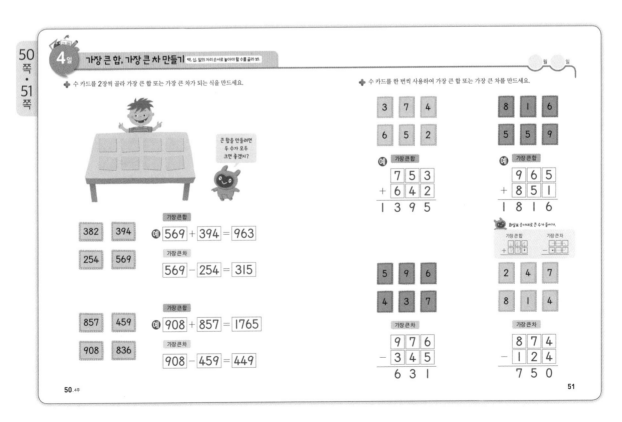

큰 합을 만들려면 두 수가 모두 크면 좋겠지?

382 394
254 569

가장 큰 합
예 569 + 394 = 963

가장 큰 차
569 − 254 = 315

857 459
908 836

가장 큰 합
예 908 + 857 = 1765

가장 큰 차
908 − 459 = 449

✚ 수 카드를 한 번씩 사용하여 가장 큰 합 또는 가장 큰 차를 만드세요.

3 7 4
6 5 2

예 가장 큰 합
```
  7 5 3
+ 6 4 2
1 3 9 5
```

8 1 6
5 5 9

예 가장 큰 합
```
  9 6 5
+ 8 5 1
1 8 1 6
```

왼쪽표 순서대로 큰 수가 들어가.

가장 큰 합	가장 큰 차
□□□ + □□	□□□ − □□

5 9 6
4 3 7

가장 큰 차
```
  9 7 6
− 3 4 5
  6 3 1
```

2 4 7
8 1 4

가장 큰 차
```
  8 7 4
− 1 2 4
  7 5 0
```

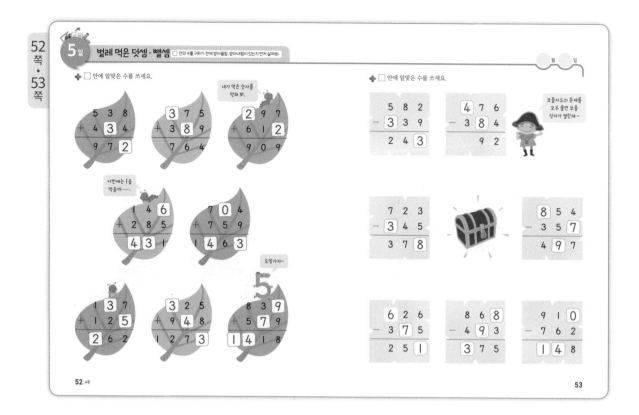

5일 벌레 먹은 덧셈·뺄셈   □ 안의 수를 구하기 전에 받아올림, 받아내림이 있는지 먼저 살펴봐.

월   일

◆ □ 안에 알맞은 수를 쓰세요.

내가 먹은 숫자를
맞혀 봐.

```
  5 3 8
+ 4 3 4
  9 7 2
```

```
  3 7 5
+ 3 8 9
  7 6 4
```

```
  2 9 7
+ 6 1 2
  9 0 9
```

이번에는 1을
먹을까……

```
  1 4 6
+ 2 8 5
  4 3 1
```

```
  7 0 4
+ 7 5 9
1 4 6 3
```

도망가자~

```
  1 3 7
+ 1 2 5
  2 6 2
```

```
  3 2 5
+ 9 4 8
1 2 7 3
```

```
  8 3 9
+ 5 7 9
1 4 1 8
```

◆ □ 안에 알맞은 수를 쓰세요.

보물지도의 문제를
모두 풀면 보물
상자가 열린대~

```
  5 8 2
- 3 3 9
  2 4 3
```

```
  4 7 6
- 3 8 4
    9 2
```

```
  7 2 3
- 3 4 5
  3 7 8
```

```
  8 5 4
- 3 5 7
  4 9 7
```

```
  6 2 6
- 3 7 5
  2 5 1
```

```
  8 6 8
- 4 9 3
  3 7 5
```

```
  9 1 0
- 7 6 2
  1 4 8
```

52 ·4주

53

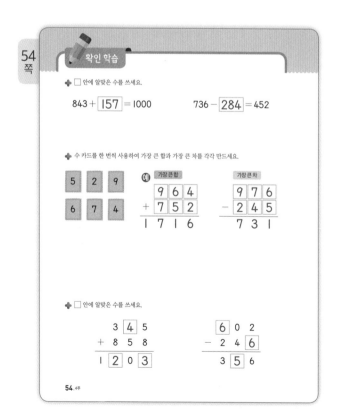

✏ 확인 학습

◆ □ 안에 알맞은 수를 쓰세요.

$843 + \boxed{157} = 1000$ $736 - \boxed{284} = 452$

◆ 수 카드를 한 번씩 사용하여 가장 큰 합과 가장 큰 차를 각각 만드세요.

```
5  2  9
6  7  4
```

예 가장 큰 합

```
  9 6 4
+ 7 5 2
1 7 1 6
```

가장 큰 차

```
  9 7 6
- 2 4 5
  7 3 1
```

◆ □ 안에 알맞은 수를 쓰세요.

```
  3 4 5
+ 8 5 8
1 2 0 3
```

```
  6 0 2
- 2 4 6
  3 5 6
```

54 ·4주

4주

13

마무리 평가

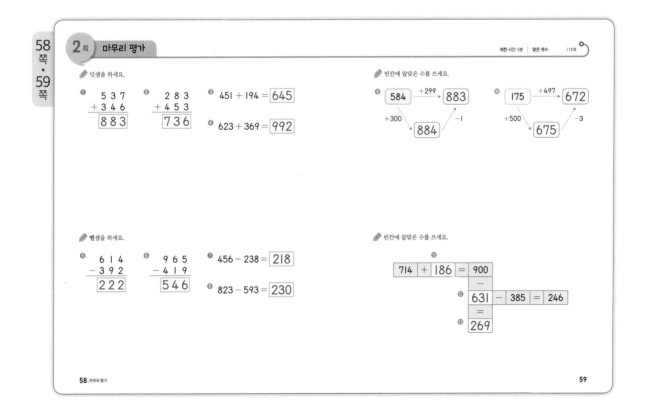

1 회 마무리 평가　　　　　　제한 시간: 5분 | 맞은 개수: /13개

✏️ 덧셈을 하세요.

① 　352
　+416
　　768

② 　734
　+242
　　976

③ 473 + 113 = 586

④ 205 + 564 = 769

✏️ 뺄셈을 하세요.

⑨ 　705
　− 36
　　669

⑩ 　402
　−159
　　243

⑪ 　1000
　− 585
　　415

✏️ 뺄셈을 하세요.

⑤ 　574
　−121
　　453

⑥ 　839
　−635
　　204

⑦ 653 − 543 = 110

⑧ 785 − 264 = 521

✏️ 덧셈식은 뺄셈식으로, 뺄셈식은 덧셈식으로 각각 2개씩 나타내세요.

⑫ 426 + 354 = 780

780 − 354 = 426
780 − 426 = 354

⑬ 841 − 549 = 292

549 + 292 = 841
292 + 549 = 841

56 마무리 평가　　　　　57

---

2 회 마무리 평가　　　　　　제한 시간: 5분 | 맞은 개수: /13개

✏️ 덧셈을 하세요.

① 　537
　+346
　　883

② 　283
　+453
　　736

③ 451 + 194 = 645

④ 623 + 369 = 992

✏️ 빈칸에 알맞은 수를 쓰세요.

⑨ 584 →(+299)→ 883
　+300 ↓　　↓ −1
　　　884

⑩ 175 →(+497)→ 672
　+500 ↓　　↓ −3
　　　675

✏️ 뺄셈을 하세요.

⑤ 　614
　−392
　　222

⑥ 　965
　−419
　　546

⑦ 456 − 238 = 218

⑧ 823 − 593 = 230

✏️ 빈칸에 알맞은 수를 쓰세요.

⑪ 714 + 186 = 900
　　　　　−
⑫ 631 − 385 = 246
　　　　　=
⑬ 269

58 마무리 평가　　　　　59

14

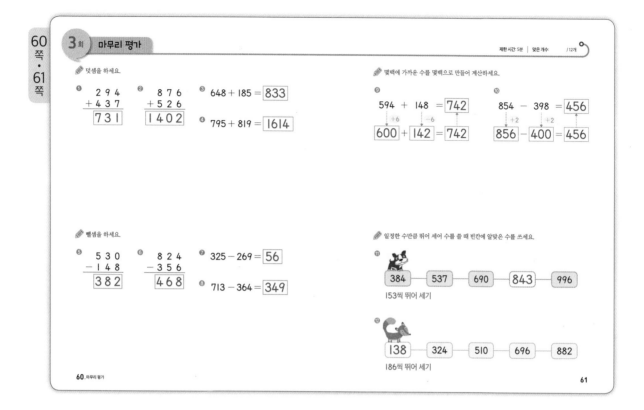

3회 **마무리 평가**

제한 시간: 5분 | 맞은 개수: /12개

덧셈을 하세요.

❶
```
  2 9 4
+ 4 3 7
-------
  7 3 1
```

❷
```
  8 7 6
+ 5 2 6
-------
1 4 0 2
```

❸ 648 + 185 = 833

❹ 795 + 819 = 1614

뺄셈을 하세요.

❺
```
  5 3 0
- 1 4 8
-------
  3 8 2
```

❻
```
  8 2 4
- 3 5 6
-------
  4 6 8
```

❼ 325 − 269 = 56

❽ 713 − 364 = 349

몇백에 가까운 수를 몇백으로 만들어 계산하세요.

❾
```
594 + 148 = 742
 +6    −6
600 + 142 = 742
```

❿
```
854 − 398 = 456
 +2    +2
856 − 400 = 456
```

일정한 수만큼 뛰어 세어 수를 쓸 때 빈칸에 알맞은 수를 쓰세요.

⓫ 384 — 537 — 690 — 843 — 996
153씩 뛰어 세기

⓬ 138 — 324 — 510 — 696 — 882
186씩 뛰어 세기

60 _마무리 평가

61

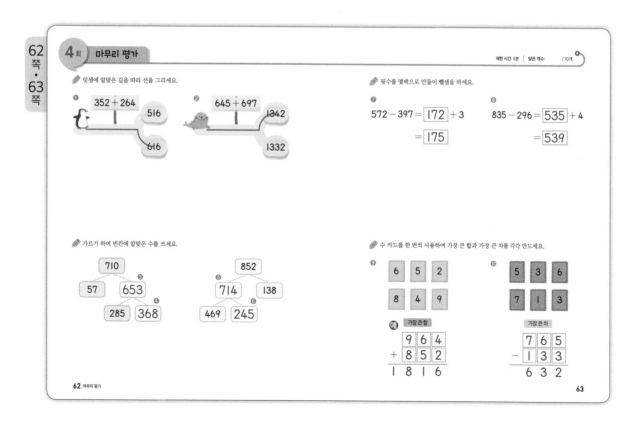

4회 **마무리 평가**

제한 시간: 5분 | 맞은 개수: /10개

덧셈에 알맞은 길을 따라 선을 그리세요.

❶ 352 + 264   516 / **616**

❷ 645 + 697   1342 / **1332**

뒷수를 몇백으로 만들어 뺄셈을 하세요.

❼
572 − 397 = 172 + 3
         = 175

❽
835 − 296 = 535 + 4
         = 539

가르기 하여 빈칸에 알맞은 수를 쓰세요.

710
57 653❸
❹ 285 368

852
714❺ 138
469 245❻

수 카드를 한 번씩 사용하여 가장 큰 합과 가장 큰 차를 각각 만드세요.

❾
```
6  5  2
8  4  9
```
예 **가장 큰 합**
```
  9 6 4
+ 8 5 2
-------
1 8 1 6
```

❿
```
5  3  6
7  1  3
```
가장 큰 차
```
  7 6 5
- 1 3 3
-------
  6 3 2
```

62 _마무리 평가

63

15

5회 마무리 평가

64쪽 · 65쪽

제한 시간: 5분 | 맞은 개수: /10개

✏️ 십, 일의 자리 수의 합을 보고 백의 자리부터 계산하세요.

①
```
   5 2 7
 + 1 3 6
 ─────────
   6 6 3
```

②
```
   8 6 5
 + 7 4 8
 ─────────
 1 6 1 3
```

③
```
   4 5 3
 + 9 7 4
 ─────────
 1 4 2 7
```

✏️ 몇백에 가까운 수를 몇백으로 만들어 뺄셈을 하세요.

⑦ 802 − 165 = 637
     ↓−2   ↓−2
   800 − 163 = 637

⑧ 756 − 497 = 259
     ↓+3   ↓+3
   759 − 500 = 259

✏️ 십, 일의 자리 수의 차를 보고 백의 자리부터 계산하세요.

④
```
   6 4 5
 − 3 8 4
 ─────────
   2 6 1
```

⑤
```
   7 5 2
 − 2 7 9
 ─────────
   4 7 3
```

⑥
```
   8 3 6
 − 6 3 7
 ─────────
   1 9 9
```

✏️ □ 안에 알맞은 수를 쓰세요.

⑨
```
   6 5 8
 + 7 4 6
 ─────────
 1 4 0 4
```

⑩
```
   9 3 5
 − 5 7 7
 ─────────
   3 5 8
```

64 마무리 평가
65

실력 평가

68쪽

칸토의 연산 초3 1권 **실력 평가**

①
```
   4 5 8
 + 3 2 3
 ─────────
   7 8 1
```

②
```
   6 8 4
 + 1 8 2
 ─────────
   8 6 6
```

③
```
   7 4 5
 + 5 3 5
 ─────────
 1 2 8 0
```

④
```
   5 7 6
 − 1 4 9
 ─────────
   4 2 7
```

⑤
```
   9 3 6
 − 5 5 3
 ─────────
   3 8 3
```

⑥
```
 1 0 0 0
 −   7 5 1
 ─────────
   2 4 9
```

⑦
```
   9 4 3
 + 4 2 3
 ─────────
 1 3 6 6
```

⑧
```
   4 0 4
 − 3 6 5
 ─────────
     3 9
```

⑨
```
   5 2 8
 + 9 7 8
 ─────────
 1 5 0 6
```

⑩
```
   6 2 1
 − 3 8 9
 ─────────
   2 3 2
```

⑪
```
   2 6 6
 + 7 3 5
 ─────────
 1 0 0 1
```

⑫
```
   7 9 3
 − 3 9 5
 ─────────
   3 9 8
```

⑬ 894 + 452 = 1346

⑭ 645 − 387 = 258

⑮ 517 + 385 = 902

⑯ 803 − 146 = 657

68 실력 평가

16

칸토의 연산

The essence of mathematics lies in its freedom.

수학의 본질은 그 자유로움에 있다.

Georg Cantor(1845~1918)

모 델 명: 칸토의 연산
제조년월: 2023년 7월 | 제조자명 : ㈜씨투엠에듀
주소 및 전화번호 : 경기도 수원시 장안구 파장로 7(태영빌딩 3층) / 031-548-1191
제조국명: 한국 | 사용연령 : 만 3세 이상

홈페이지 : www.c2medu.co.kr | 지원카페 : cafe.naver.com/fieldsm

상자를 열어 수학을 가져라!

초등수학교구상자

교과서 문제는 기본, 영재원 문제까지 완벽 해결

도형 뒤집기!
돌리기! 붙이기!

❶ 펜토미노 턴

쌓기나무와 소마큐브
집중탐구

❷ 큐브빌드

덧셈, 뺄셈에서
곱셈과 나눗셈까지!

❸ 머긴스빙고

아이들이 가장 어려워하는 초등 교과 단원을 수학교구로 재미있고 쉽게 조작하고 놀며 수학의 개념과 원리를 익힐 수 있어요.

입체조각을 뒤집고,
돌리며, 쌓아가며!

❹ 폴리스퀘어

연산 원리와
감각을 한 번에

❺ 트랜스넘버

전개도를
접었다 펼쳤다!

❻ 큐보이드

칠교 퍼즐의 변신
입체 칠교

❼ 폴리탄

씨투엠이 만들면 기준이 됩니다!